Miłego czytania!

Mlolieński

2015

KOCHANA MOJA

Rozmowa przez ocean

MAŁGORZATA KALICIŃSKA

BASIA GRABOWSKA

KOCHANA MOJA

Rozmowa przez ocean

wydawnictwo FILIA

Wydanie I, Poznań 2014

Projekt okładki: Olga Reszelska
Zdjęcie na okładce: © Lee Avison / Arcangel Images

Redakcja: Justyna Bidas, Editio
Korekta: Ewa Stanicka, Editio
Skład i łamanie: Jacek Bociąg, Editio

ISBN: 978-83-7988-022-5

Wydawnictwo Filia
grupa Termedia sp. z o.o.
ul. Kleeberga 8
61-615 Poznań
www.wydawnictwofilia.pl

Wszelkie pytania prosimy kierować na adres: czytelnicy@wydawnictwofilia.pl

Dołącz do nas na Facebooku!

Druk i oprawa: Abedik SA

SPIS TREŚCI

Szanowna Czytelniczko
i Szanowny Czytelniku!

Dziękujemy Ci pięknie za sięgnięcie po nasz zbiorek *Kochana Moja. Rozmowa przez ocean.* Celowo nawiązałyśmy do piosenki Maryli Rodowicz, bo to ładny szlagwort. Czytając, miej proszę na uwadze, że zawarte tu nasze, ubrane w te jakże przepiękną ☺ oprawę słowa, to bardzo subiektywne, nieraz egoistyczne, często gorączkowe i rozentuzjazmowane przemyślenia, urodzone na fali tęsknoty, niespodziewanej rozłąki i łaknienia kontaktu.

Mamy serdeczną nadzieję, że poniekąd Sama/Sam dołączysz do naszej nieskończonej rozmowy, zastanowisz się nad swoim punktem widzenia, uszanujesz różnice, które zapewne zauważysz pomiędzy swoimi a naszymi wnioskami. Ciesz się, droga Czytelniczko i Czytelniku, tym słowem pisanym, które – mamy nadzieję – pobudzi Cię do refleksji, a może, i chęci rozmowy z kimś bliskim czy całkiem dalekim.

Zaznaczamy, że zebrane tu rozmowy to nasze e-maile, SMS-y i transkrypty rozmów telefonicznych, które z pomocą wydawnictwa połączyłyśmy w wygodną całość, opracowane, dopracowane i wyczyszczone z niepotrzebnych przerywników i bardzo prywatnych spraw, tajemnic, by zachować estetykę, nie epatować zanadto prywatnością i tym samym ułatwić Ci lekturę.

Witaj w naszym dość jednak intymnym świecie.

Basia i Małgorzata, czyli córka i mama

PS W naszej mowie matczyno-córczanej używamy różnych neologizmów, specyficznych zwrotów, kodów. Takie po prostu jesteśmy. Witaj w naszym świecie!

Real i wirtual

Kochana Moja (Mama tak zazwyczaj zaczyna, znaczy ja!).

Czy ktoś z nas kiedyś wymyśliłby taki scenariusz? Że Ty tak daleko, że będziemy się musiały w naszych kontaktach obyć wirtualem? W ogóle czy kiedyś znałaś słowo wirtual? Bo ja – nie, a znałam dzięki mojej mamie wiele słów.

Ja urodziłam się i wychowałam w absolutnym realu. Wtedy było tylko to, co realne, dotykalne, prawdziwe. Chociaż był świat nierealny. U niektórych. Mam na myśli świat duchów, aniołów i diabłów, elfów, wilkołaków etc., bo to swoisty wirtual. Była taka piosenka Skaldów:

Życie jest formą istnienia białka,
ale w kominie coś czasem załka.
Czasem coś świśnie, czasem coś gwiźnie,
coś się pokaże w samej bieliźnie.
Oj, dana.
(tekst – Agnieszka Osiecka)

I nagle okazało się, że ta maszyna, która stanęła kiedyś w naszym domu i nazywała się komputerem, to takie drzwi, jak w Narnii, do innego świata. Ten wirtualny, nienamacalny świat jest zupełnie innym tworem niż świat duchów, bo jak się chce – to jednak można go namacać, zjeść i wypić (jak się zamówi dostawę do domu). Wielki, wielki jest świat Internetu, o którym kiedyś pisał Stanisław Lem jako o czymś dość odległym, prawie nierealnym, czymś, co trudno pojąć i nam, czytającym o tym, wydawało się to odległą bajdą, rojeniem fantasty.

Pamiętasz, że się latami broniłam przed poznaniem zakamarków tajemnic i działania komputera? Nie był mi potrzebny w moim ówczesnym życiu, ale okazało się, że to kapitalna maszyna do pisania, więc zamieniłam pióro (ze stalówką i zielonym atramentem!) na klawisze.

Potem powoli (jak żółw – ociężale...) zaczęłam uchylać drzwi do szafy nazywanej Internetem. I... nie taki on straszny. I Ty w nim jesteś! Ktoś młody, kto czyta te słowa, myśli sobie: „O czym ona mówi?! O średniowieczu?", moja wnuczka nie będzie wiedziała, o czym mowa, jak powiem jej, że kiedyś, dawno, dawno temu, gdy nie było jeszcze Internetu…

Dzisiaj Twój brat opowiada znajomym, że mamie może wysiąść pralka – wtedy upierze przy pomocy staroświeckiej tary, którą ma po babci, może wysiąść lodówka, odkurzacz (najwyżej polata na miotle i mopie), ale jak znika sieć – zaraz alarm i wścieklica, telefon do operatora i tupanie. Prawda!

Umiem poradzić sobie bez wielu rzeczy, ale bez Internetu, telefonu – ciężko. Ględzić przez telefon raczej nie ględzę, żadne tam „Lalka, i słuchaj no, co… no i on wtedy…". Sama wiesz, krótko, zwięźle, ale jak się ma rozproszoną rodzinę, jak się sporo jeździ, to telefon, ta nitka, która łączy z Wami, a czasem koło ratunkowe, jest rzeczą bezcenną. A jak już odkryłam wirtualne sklepy ogrodnicze, spożywcze i inne, aukcje i bazarki – to korzystam pełnymi garściami, bo, jak wiesz, u mnie na wsi nawet spożywczaka nie ma. Kurierzy po całym świecie rozwożą towary kupione w sklepach internetowych. Klik! I już zamówiłam czterdzieści sadzonek rudbekii w kilku kolorach, pięć drzew owocowych, pięćdziesiąt sadzonek róży fałdzistolistnej, pięć sztuk gunnery i nasiona prosa włosowatego. Ja wiem, że nie masz pojęcia, o czym piszę, ale jak się domyślasz – to kwiatki do ogrodu moich przyjaciół. Przyszła wielka paczka świetnie zapakowanych roślin! Zdumiewające, proste, nie musiałam jeździć po Polsce. Choć wiesz… są i cienie. Szukałam niewielkiej szklarni, znalazłam sklep w Warszawie, a kiedy byłam tam przy okazji – zajrzałam, żeby owe szklarnie obejrzeć. Wielki budynek, w nim jakieś wydawnictwo i kilka firm. Ledwo znalazłam malusi kantorek po nazwie owego sklepu ogrodniczego, a tam tylko człowiek z laptopem. Ot i cały sklep… Zamawiam, on pisze do producenta, od którego kurierem, bez macania czy dotykania towaru (buuuuu!) paczka sobie idzie do mnie. No, też coś!

To też ogromne pola kompletnie przeze mnie nieeksplorowane, niewidzialne, jakieś ogromne zasoby filmowe, muzyczne, bimbaliony gier i portali i jeszcze jakieś, z których nie korzystam, których nie znam. Gry mnie nie bawią, ściąganie filmów czy muzyki też nie, za to zdobywanie wiadomości – jak najbardziej. To jest fascynujące! Kiedyś to była wyprawa w głąb encyklopedii, stała w domu trzynastotomowa i w niej można było znaleźć wiele, a jak mało, to trzeba było jechać na Koszykową do biblioteki publicznej i tam, złożywszy zamówienie, czekać, aż pani przytaszczyła potrzebne książki. A teraz… Wrzuca się kilka słów określających sprawę i się ma za kliknięciem! Załączone linki prowadzą dalej, głębiej. Można niemal studiować. A społecznościówki? To całkiem nowe socjologiczne zjawisko. Właśnie wiodłam dyskusję z Siwym, czy znajomi z Naszej Klasy albo Facebooka (czy innych tam) to znajomi, czy jednak nieznajomi? Jak silne więzi można zadzierzgnąć z kimś, z kim nigdy nie uścisnęłam dłoni, nie widziałam oczu i tego wspaniałego *body language*, który jest potrzebny, żeby w pełni poznać człowieka. Jego miny, wzruszenie ramion czy sposób, w jaki poprawia włosy. Nie tylko to, jakie ma myśli, jak je przekazuje, pisząc maila czy komentarz pod jakimś postem. Całość wiele mówi o człowieku i o tę część realu osoby poznane w necie są uboższe.

Siwy sceptycznie odnosi się do takich znajomości i… ma rację. Kiedyś wirtualem były listy, zwłaszcza te pisane długo i obszernie przez osoby oddalone od siebie czasem nawet na zawsze. Abelard i Heloiza, Ewelina Hańska i Balzac oraz miliony innych korzystających z poczty, poczmistrzów i dyliżansów pocztowych. Papier, pióro, kałamarz, lak i pieczątka, a później koperta i znaczek, i pisanie, pisanie, poznawanie się, mówienie literkami kładzionymi skrzypiącym piórem. I czas – czekanie na odpowiedź. Niektórzy korespondenci nie widzieli się nigdy, inni z rzadka.

Znam dzisiaj wiele osób, które, poznawszy się w necie, zapragnęły spotkania w realu. I jak wiesz, różnie to potem bywa. Niemniej pamiętam moje początkowe spotkania z Siwym w necie, gdy każdy poranek oznaczał maila od miłego korespondenta, a ja każdego dnia po południu na taki list odpisywałam. Rozmawialiśmy o wszystkim znacznie soczyściej i bardziej wyczerpująco niż inni w realu na sporadycznych spotkankach przy kawie. No i te spotkania w ogóle nie byłyby możliwe, bo dzieliło nas dziewięć tysięcy kilometrów! Dzisiaj też wiodę jakieś korespondencje z ludźmi z innych miast i kontynentów i nazywam ich „znajomymi", ale czy faktycznie to są znajomi?

Zawsze też pozostaje ta świadomość, że wystarczy brak zasięgu, przerwa w dostawie prądu albo zwykłe kliknięcie w wyłącznik, żeby te kosmosy, galaktyki wiedzy i zbiorowości ludzkie zniknęły! Jak mydlana bańka. Pfff i nie ma!

Dla Ciebie to norma, bo się w tym świecie wychowałaś, a dla mnie kolejne zdziwienie. Zresztą dla Was zdziwienie to moje życie niegdysiejsze, bez Internetu, telefonów komórkowych i paszportu w szufladzie.

Dla mnie – życie mojej mamy bez radia, pralki, osobistego samochodu, bez chłonnych podpasek. Jak ONI (ludzie z przeszłości) żyli?!

Ja dzisiaj dziękuję Internetowi nade wszystko za to, że umożliwia mi wirtualny kontakt z Tobą. Jesteś tak bardzo, bardzo daleko, a mogę widzieć Twojego buziaka, rozmawiać bez tygodniowego poślizgu. Co by to było, gdyby list szedł pocztą, a już dyliżansem i statkiem czy gołąbkiem...? A tu – klik i poszło! Na Gadulcu czy Skype można paplać tak bardzo blisko i szybko, bezpośrednio, i jeszcze widzieć Twoje miny na filmikach! I tylko... nie mogę Cię dotknąć ani przytulić. Bo pomimo żeś stara baba, moja piękna Trzydziestko, mam stale potrzebę przygarnięcia Cię, jak wtedy, gdy bywałaś na wyciągnięcie ręki. Funkcji „przytul" net jeszcze nie ma...

Kończę, Kochanie, muszę się wziąć za realny obiad, nie zamawiam cateringu przez Internet, tu jestem nadal staroświecka.

Całuję.

Mama

Dzisiaj będzie kapuśniak, bardzo domowy, na kaczce. Dam Ci przepis, bo kiedyś chciałaś. Bardzo domowy, bo to Siwy u nas kapustę kisi.

W lodówce miałam pół kaczynej piersi, którą podsmażyłam z czosnkiem i cebulą, zalałam szklanką piwa i poddusiłam. Potem wrzuciłam wielką garść owej kapuchy, ciut majeranku (rośnie mi w ogródku), garstkę włoszczyzny julienne i to się pogotowało. Na kaczce, mówiłam Ci to, wywary są smaczne i wyraziste. Ale o tym kiedyś.

Na drugie danie zrobiłam łososia „spod ręki".

Na patelni łyżka masła i oliwy, cebula i czosnek. Potem wrzuciłam pokrojoną dość drobno, w paseczki, paprykę (z ogrodu, już ostatnie strączki wiszą) i pomidorki koktajlowe, też z hodowli – z wielkiej donicy, którą mam na tarasie.

Podlałam wodą i poddusiłam. Potem włożyłam łyżkę śmietany (może być crème fraîche) i zamieszałam. Na to pokrojonego w kostkę łososia, garść kopru.

Kopru mam w zamrażalniku dwa pudełka na zimę.

Czy tam u Was rośnie koper?

Dziesięć minut pod przykrywką, potem już tylko ugotować jakieś penne na sposób włoski, czyli *al dente*, i wrzucić na patelnię z tym łososiem i warzywami.

Kocham Cię łososiowo – Mama

Mamuś!

A pamiętasz, jak w domu tata postawił pierwszego Commodore'a 64? Rany, jaki to był szał! Uwielbiałam grać w Olimpiadę, w Kaczora Donalda, który pakował owoce do skrzynek, Boulder Dash (ten termit, co zbierał diamenty) i milion pięćset sto dziewięćset innych gier, które tata z uporem godnym lepszej sprawy taszczył regularnie z komputerowego bazarku na Grzybowskiej na dyskietkach ośmiocalówkach. Godzinami mogłam machać tym nieszczęsnym joystickiem, choć oczywiście „godzinami" to nie było nam wolno. Pilnowałaś, żebyśmy się nie utopili w tym wirtualu na dobre i chwała Ci za to po wsze czasy, bo dziś uzależniona od komputera nie jestem nawet odrobinę. Nie zrozum mnie źle, bardzo doceniam fakt, że mam tego swojego zmęczonego życiem laptopa i dostęp do Internetu. Bez tego wiele codziennych, rutynowych czynności nie byłoby możliwych albo byłyby mocno utrudnione i niewygodne. Ale kiedy wracam do domu, nie czuję biologicznej potrzeby sprawdzenia maili, ważne wydarzenia w moim życiu nie wiszą na ścianie mojego facebookowego konta, a moje wirtualne CV nie było aktualizowane od jakichś trzech lat. Wiem, powinnam być „obecna" w wirtualu częściej, zwłaszcza teraz, kiedy jestem tu, w Sydney, a w Polsce są ludzie, którzy za mną tęsknią, kochają, myślą i piszą. A ja – wstyd przyznać – mam na mailu wiadomości sprzed dwóch miesięcy, na które jeszcze nie znalazłam chwili i ochoty, żeby odpisać…

Wiesz, dla mnie to jest trochę tak jak z wyjściem na miasto, do klubu. Jest głośno, wesoło, dużo się dzieje, ludzie na lewo i prawo, rozmowy, ploteczki, obrazy i dźwięki, zawrót głowy, endorfiny. A potem wracasz do domu, zapalasz światło i orientujesz się, że jesteś w tym domu… sama. Jest pusto i cicho, euforia powoli wyparowuje z głowy, ludzi nie ma, choć przed chwilą byli, jazda na karuzeli się skończyła, więc wracasz do życia, którym jest Twoje łóżko, kanapa, niedojedzony obiad i zaplanowana na jutro wizyta u babci.

I ja się tak czuję, kiedy zamykam laptopa. Te dwie czy trzy godziny, które spędziłam w sieci, jakby się nigdy nie wydarzyły. Ci ludzie, z którymi rozmawiałam, tak naprawdę nie są z mojego świata, te obrazy, które widziałam, do jutra zapomnę. Nie traktuję tych trzech godzin jako przeżycia (z akcentem na „życia"), ale jako przerwę w… życiu, czas w dużej mierze stracony, nie do odzyskania.

Chyba nie pomylę się, stwierdzając, że nie prasa, nie telewizja, ale właśnie Internet jest w tej chwili największą władzą i potęgą. Od zawsze przecież mówi się, że „telewizja kłamie", a prasa to sam Photoshop, czemu więc Internet miałby być inny? Fakt, Internet jest tworzony nie tylko przez korporacje i agencje reklamowe, ale także przez pojedynczych ludzi, przez jednostki nieraz cenne, nieraz plugawe, a naszą decyzją jest, po co w tym Internecie sięgamy i do czego go użyjemy.

Wiesz, Mamuś, nie mogę się tu opędzić przed górnolotnym i pompatycznym może porównaniem, że Internet jest trochę jak dar wolnej woli, którą Bóg dał ludziom. Możemy z nim robić, co chcemy, możliwości są nieograniczone, a pokus mnóstwo. Ale to, co zrobisz, wystawi Ci świadectwo jako człowiekowi. Z tą tylko różnicą, że z grzechów jesteśmy jednak (podobno) rozliczani i karani za nie, a w Internecie grzeszyć można bez żadnych konsekwencji. To mnie i smuci, i przeraża, zwłaszcza kiedy widzę, jak „odważni", a często okrutni i bezwzględni są ludzie, gdy przykrywa ich płaszczyk anonimowości. Brzydzę się tym i unikam jak ognia, bo sama jestem słabą jednostką, którą pokusy też nieraz ciągną w złą stronę.

Wybacz mi więc, Mamuś, że znów nie odpisałam Ci na któregoś maila! Daję słowo, że wszystkie czytam, głównie na telefonie, kiedy siedzę w pociągu w drodze do szkoły albo w pracy, w kąciku komputerowym, kiedy mi się przerwa na lunch przeciąga. I czytam, i wzdycham, i czasem nawet chlipnę pod nosem, otrę łzę, bo strasznie mi Ciebie brakuje i oddałabym wiele, aby te cholerne maile zamienić na normalne pogaduchy nad kapuśniakiem. Wiele bym oddała, żeby na ten kapuśniak móc tak zwyczajnie przyjechać tramwajem…

U nas kapustę kiszoną znaleźć ciężko. Zdarza się taka w słoikach, ale to nie to samo, co beczkowa spod Hali Mirowskiej…

Pa…

Jesień

K ochana Moja!

Zaczyna się jesień. Pamiętasz ją jeszcze – nagle zieleń się przebarwia, załamuje, i zaczyna się żółknięcie, czerwienienie, brązowienie liści i traw. Te mdłe kolory – oliwkowy, brązowy, szary, beżowy – zaczynają ożywać w towarzystwie krwistej purpury i wszystkich odcieni oranżu, cytryny, żółci, aż do efektu złocistości, do ugru.

Pamiętam taki właśnie październikowy widok gór koło Istebnej, a i na płaskim Mazowszu tak właśnie przebarwiają się parki w miastach i lasy podmiejskie. Pamiętam, jak w Egipcie pewien młody Egipcjanin pokazywał mi swoje zdjęcia z ówczesnej Jugosławii, gdzie był u jakiejś znajomej akurat w czasie takiej barwnej jesieni. Był oczarowany tymi kolorami drzew, opadłymi liśćmi, w których brodzili prawie po kolana, i mówił: „Czy ty kiedykolwiek widziałaś coś równie pięknego?!". Nie dowierzał, gdy mówiłam, że nasza polska złota jesień stąd właśnie, z tego piękna i kolorów, ma swoją nazwę.

Od zawsze to ukochana pora roku grzybiarzy. Kilka razy byłaś z nami na grzybach, przyznam, że rzadko, ale czy kojarzysz to jeszcze? Wyjazd z miasta tylko po to, żeby zapolować w lesie na koźlarze, maślaki, prawdziwki, opieńki, żeby chodzić po pachnącej, wilgotnej ściółce, wypatrywać grzybnych łebków i ścinać je kozikiem. Ty chodziłaś z tatą, Stasiek ze mną. Najpierw narzekaliście, że ich nigdzie nie ma! A potem nauczyliście się rozróżniać wśród liści ten specyficzny kształt. Szczególnie trudno znaleźć czerwone koźlarze pod brzozami, listki kłamią-mamią.

Wiesz, w naszym pobliskim lesie, malutkim, ale „dobrze wyposażonym", był w tym roku wysyp! I nagle stanęłam przed problemem *embarras de richesse*! Po co nam tyle tego?! Nie przejemy tego. Suszyłam – ach, ten dziwny zapach suszonych grzybów! Resztę utopiłam w occie. Ciebie nie ma blisko – a Ty tak chętnie zjadasz grzybki w occie…

I co jeszcze o jesieni? Vivaldi, Moja Droga, *Cztery pory roku – Jesień* w niebywałym wykonaniu Nigela Kennedy'ego właśnie mi towarzyszy, gdy piszę do Ciebie ten list. Jak on to interpretuje!

Chełmoński na obrazach taki ciepłojesienny i wiejski, zwłaszcza *Babie lato*. A Jerzy Duda-Gracz też namalował *Babie lato*, po swojemu (odwołując się wesoło do Chełmońskiego). To taka wielka, leżąca grubaska. Uśmiecham się, patrząc na nią. No i kalosze – jesienne obuwie konieczne tu, na wsi, wspaniałe na spacery i prace w ogrodzie. Podobno królowa Elżbieta też na spacery z psami chodzi w kaloszach ☺.

Wiesz, ile jest pracy w ogrodzie? Opatulenie tegorocznych nasadzeń, okrycie wrażliwców, przesadzanie tego, co się nie komponuje, bo to dobra pora na to. No i grabienie liści, prawie syzyfowa praca. Tu najlepiej sprawdzają się wielkie, drewniane grabie. Siwy rozpala ognisko. Nazywamy je Stonehenge, bo otoczone jest wielkimi kamieniami. Oboje to lubimy – rozpalamy ognisko i wozimy taczką liście. Początkowo bucha para, biały, słodko-wędzony dym niesie się po łąkach. Raczej niedozwolony, bo wiesz...? Nie wolno właściwie palić ognisk! Choć oczywiście w kominku możesz spalić wszystko, łącznie z oponą. To głupie zarządzenie, chociaż rozumiem intencje – żeby nie zaprószyć, nie wypalać łąk, nie zwodzić pszczół, ale ognisko…? Żeby spalić kilka patyków i kupę liści? Kiedyś zawsze na polach palono łęty ziemniaczane po zbiorach, resztki w ogrodach… A teraz nie wolno? Jakaś aberracja. U Was to rozumiem. Znów widzę w wiadomościach, jakie tam w okolicach szaleją pożary, ale u nas mokro, jesiennie. Tak więc może postępujemy źle, jednak jesienią palimy wieczorem te ogniska (dwa, trzy, nie więcej) i… wiem, wiem, tupniesz nogą w dziecięcej złości, pakujemy do popiołu ziemniaki. Teren spory, więc dochodzą akurat na koniec pracy. Wówczas siadamy na ławeczce, grabie leżą obok, wieczór jeszcze ciepławy, mokry, ale nie lodowaty, zresztą przy ogniu świetnie się siedzi. Pojadamy te ziemniaki z grubą, morską solą i popijamy piwem. Mówimy o Was – o naszych dzieciach. Jako związek „z odzysku" mamy Was czworo – chłopaki Siwego i Wy – moje dzieciska. Wspominaliśmy nie dalej jak przedwczoraj przy ogniu takie właśnie grzybobrania, wypady jesienne do lasu, do parku, po skarby. Wycieram chusteczką nos i brudne palce, Siwy też, choć on zawsze mniej się brudzi, i tak tęsknimy za Wami, siedząc przy ognisku. Czujesz klimat?

Wiesz, byłam wczoraj na smętarzu. Podoba mi się to słowo – smętarz. Jest lepsze niż cmentarz, prawda?

To też jesienny spacer. Jest przed listopadem, więc ludzi tu było więcej niż normalnie, to ta pora polskich świąt zadusznych. Wczoraj było już jesiennie, żółtolistnie, przyjemnie ciepło, tak na lekką kurtkę i bez parasola ☺. Pojechałam przed zmierzchem. Porobiłam porządki, porozmawiałam z rodzicami. Gadałam „do nich" o Tobie, żeś daleko, o Staśku, jaki z niego fajny tatko dla małej Mati, i o tym, jak bardzo kocham ten nasz wielgaśny ogród, las, i że to tata mnie tego nauczył, choć nie był przecież ogrodnikiem. Gdyby mnie ktoś podsłuchał – pomyślałby, że jakaś szurnięta, bo mówiłam cichym półgłosem, zapalając znicz. Jak myślisz – zwariowałam?

A jak tam, na antypodach, wygląda dialog ze zmarłymi? Jak cmentarze? Wizyty bliskich? Nam pomaga aura – na Wszystkich Świętych (mój kolega mówił, że to największe imieniny świata, więc powinno się tęgo popić) i Zaduszki, czyli niegdysiejsze pogańskie Dziady, zazwyczaj zimno, szaro, smutno. Kiedyś towarzyszyły temu rodzinne obiady, teraz chyba nie. Wycinam dynię, wiesz? U nas w Polsce Halloween z dyniami i świeczką oraz przebierańcami jakoś nie może się zaaklimatyzować.

Po powrocie z smętarza zjadłam zimne samosy z obiadu z gorącą herbatą, tą koreańską, która de facto

wygląda jak dżem cytrynowy. Rozgrzewająca, fajna!
Siwy był na swoich sportowych zajęciach. Krzepki
z niego pan, ćwiczy regularnie, świetny jest! Sama go
sobie zazdroszczę! ☺

I wiesz, co jeszcze tak lubię w jesieni? Targ i tę
feerię barw i kształtów dojrzałych owoców i warzyw.
Teraz jest festiwal papryki, a kończą się gruntowe
pomidory. Zrobiłam przecier, to jasne, ale dla kogo?
Ty nie wpadniesz znienacka, by wypić duszkiem ów
przecier prosto ze słoika... Mati za mała, ale nauczę
ją! Obiecuję! Powiem, że ciocia Basia tak robiła i że to
dobry zwyczaj – wtedy będę znów robić tego przecie-
ru mnóstwo.

Jadacie czasem hinduskie potrawy? Podam Ci
przepis na te samosy, pyszne danie i doprawdy mało
skomplikowane.

Ściskam Cię jesiennie – Mama

Samosy – indyjskie pierożki warzywne lub łączone
z mięsem. Zostało mi kilka okrawków z indyczyzny –
usiekałam i na patelnię, na której była już laska cy-
namonu (do wyjęcia zaraz po podsmażeniu), kumin,
curry, kolendra mielona, ciut gałki, usiekana cebula,
czosnek, imbir. Po lekkim podsmażeniu i ścięciu białka-
ka w mięsie dodaję szpinak (obojętnie jaki) i może być

ciecierzyca albo (ja tak robię) posiekane, ugotowane ziemniaki z wczoraj i papryka (też została z wczoraj). To smażę na klarowanym maśle i łyżce oliwy. Sól, pieprz i mała filiżanka piwa, wody, wody z octem jabłkowym.

Potem maszyna do chleba wyrabia mi ciasto – inne niż na pierogi – tłuściejsze, z małą filiżanką oliwy. Jest cudownie plastyczne.

Trochę lepienia i do piekarnika – po posmarowaniu rozkłóconym (co za piękna nazwa!) jajkiem.

Nadzienie może też być stricte wegetariańskie – na ciecierzycy, ziemniakach, soczewicy.

Do tego jakieś sosy – jogurtowe, winegretowe, jakie tam chcecie.

Mamuś!

Pewnie, że znam samosy! Z fetą i szpinakiem, maczane w jogurcie miętowym, oooooo!!! Mniam! Widzisz, Australia to taka dziwaczna zbieranina kultur, nacji, ras i tradycji, że można tu znaleźć odrobinę wszystkiego i dla każdego jest tu miejsce, dla kulinariów zwłaszcza, bo ci biedni Australijczycy SWOJEJ kuchni to tak za bardzo nie mają… Mamy tu więc całe dzielnice Macedończyków, małą Italię, nieśmiertelne China Town, polski klub, stowarzyszenie chorwackie, mnóstwo knajpek greckich, hiszpańskich, libańskich. „Eklektyzm" to mało powiedziane – pamiętam, jak długo stałam z ustami rozdziawionymi jak karp, wpatrując się w drzwi wejściowe pewnego lokalu w Rose Bay, którego szyld głosił: „Japanese Bistro and Tapas". Trzy słowa, które nigdy w przyrodzie nie występują razem i za diabła nie chciały się dać przeczytać bez zgrzytu! Japanese Bistro co? Jeszcze raz. Japanese…

Ale potem się zastanowiłam – bistro to przecież mała restauracyjka serwująca proste, szybkie w przygotowaniu potrawy. Tapas to przekąski, ciepłe czy zimne, jedzone najchętniej rękami – zwykle są to małe, wygodne porcyjki, niewymagające większego skupienia czy kontemplacji, zamawiane najlepiej w grupie, do przyjacielskiej pogawędki nad talerzem. Japońska kuchnia zaś – czy to sushi, czy sashimi, czy miseczka zupy miso – idealnie wpisuje się w powyższe założenia. Szybko, łatwo, na dwa gryzy. Gra? Gra! No przecież! Witamy w Australii! Ale do meritum.

Jesień to dla mnie zawsze kasztany. Pamiętasz te u babci, przy parkingu? Dwa wielgaśne drzewiszcza, mocne, niezniszczalne, gęste od zielonych, palczastych liści. Kiedy kwitły, wiadomo było, że matury tuż-tuż. Kiedy obradzały w małe, kolczaste bombki – zaczynała się złota jesień. Zawsze po szkole leciałam na podwórko i razem z dzieciakami sąsiadów myszkowaliśmy wokół parkingu, szukając błyszczących, brązowych skarbów. Znalezioną zieloną kulę trzeba było chwytać ostrożnie, bo kłuło, i to mocno! Najlepiej jak miała jeszcze szypułkę i była leciutko pęknięta – takiego kasztana można było bezpiecznie złapać i obrać z łupinek jak pomarańczę, kawałek po kawałku. Taki świeży, młody kasztanek wyłaniający się spod łupiny wyglądał zupełnie jak oko jakiegoś dzikiego zwierza. Kasztanowobrązowy (sic!), błyszczący, jakby wilgotny... Traktowaliśmy je z nabożeństwem. Polowaliśmy na jak największe, na jak najmniejsze, na nietypowe kształty, na łaciate – te niedojrzałe, które z czasem brązowiały. Układaliśmy je z powrotem w łupinkach „do snu", komponowaliśmy z nich mozaiki, nosiliśmy je w plecakach, nie pamiętam już w sumie po co. No i zwierzaki z kasztanów i żołędzi! To była zabawa! Pamiętasz? Babcia wyciągała wtedy z szuflady ukochany Staśkowy szpikulec, ten z rączką okręconą plastrem opatrunkowym, i dużą paczkę zapałek. Dłubaliśmy w tych kasztanach zawzięcie, wierciliśmy dziurki, wciskaliśmy zapałki i robiliśmy konie, byki, jeże, ludziki (tylko siedzące, bo stać nie chciały na dwóch nogach)… Stały potem te dzieła u babci na półce, razem z łódeczkami z kory i figurkami z korzeni, aż zaczynały wysychać i marszczyć się ze starości, a babcia dyskretnie wyrzucała je do kosza. Mamuś, czemu już nikt się tak nie bawi…

W Australii jest miejsce na wszystko. Ale kasztanów nie ma. Może są gdzieś te jadalne, ale nikt nie buszuje w stertach opadłych liści, z wypiekami na twarzy modląc się, żeby tym razem trafić na naprawdę wielki okaz. Dzieci na całym świecie są do siebie bardzo podobne i tak jak kiedyś każde szanujące się dziecko pędziło zdyszane na podwórko, by stworzyć karabin z patyka, ciasto z piachu i wody, fortecę z kredy na asfalcie czy szałas z krzaka, tak dziś większość z nich pędzi do domu, żeby włączyć konsolę do gier i zbudować fortecę z pikseli. Przecież jak ja tu tym moim małym „kangurom" opowiem o kozie z kasztanów, to się popukają w głowy i pomyślą, że wariatka…

Zawsze lubiłam jesień. Te kolory, o których mówisz, zapach palonych liści, dym nad działkami, wczesny zachód słońca, smak krupniku grzybowego, ostatnie ciepłe promienie słońca prześlizgujące się jak nitki babiego lata przez coraz chłodniejsze powiewy wrześniowego wiatru. Wiesz, uświadomiłam sobie właśnie, że obie babcie zawsze uczyły nas, by nie wyrzucać chleba, nie marnować jedzenia. Obie przestrzegały tej zasady z nabożeństwem i sumiennością. Babcia Jasia zawsze tarła suche pieczywo na tarce, do panierek. Babcia Marynka kroiła stary chleb w kostki i nosiła nad kanałek, żeby dokarmiać głodne kaczki przed odlotem. Ileż to było radości z rzucania tych kosteczek: „O, ta jeszcze nie jadła, tam rzuć!", „Ale ta kuleje i biedna nie zje! Bliżej jej daj!". Kaczuchy tłoczyły się u naszych stóp, kłapały dziobami, trzęsły kuprami i wcinały, aż miło popatrzeć. Tu u nas nie ma tylu kaczek… Są papugi, takie duże, białe, z żółtym irokezem. Śmieszne są strasznie, bo mają platfusa, więc jak chodzą, to im łapki uciekają do środka i bujają się z boku na bok, jak fajtłapy. Przylatują czasem do nas na balkon, kręcą się po barierce z lewej na prawą i z prawej na lewą, zerkając bezczelnie do środka. Nie boją się zupełnie, więc można je karmić z ręki. Kroję stary chleb w kostki i podaję tym platfusowatym stopom, a stopy wpychają kawały rodzynkowego chleba do łakomych dziobów. Potrafię pół bochenka tak rozdać i nawet przez chwilę nie nudzi mi się towarzystwo głodnych ptaszorów.

„Zobaczysz, że obsrają nam balkon", mruczy Duży z kanapy. No to obsrają. Ale chleba przecież nie można wyrzucać.

PS Lubię, jak mi wrzucasz do korespondencji te różne artystyczne wątki. Chciałabym mieć wystarczająco dużo wiedzy i obycia, żeby za Tobą nadążyć i odesłać Ci coś adekwatnego… Myślę więc gorączkowo, ale najgłośniejsze echo jesieni dudniące w moim mózgu to poniższy wiersz, który onegdaj przyprawiał nas o dziki chichot i nietrzymanie moczu.

Idzie jesień w wielkich butach, worek liści niesie…
Wszystkie dzieci są wnerwione, bo się zaczął wrzesień.
I dozorca jest wnerwiony, bo ma więcej śmieci.
O, zwyzywał taraszącą małą grupkę dzieci,
Bo mu rozwaliły liście, co je miał na kupie –
I ma teraz wszystko… do pozamiatania.
(Marcin Daniec)

PPS Idę coś ugotować!

Hu, hu, ha – zima zła?

Kochana Moja!

Słońce moje kochane! Nie ma Cię w nadmiarze, oj nie ma… To skarga do dwóch słońc – do Ciebie, Moja Kochana, i słońca Słońca – które tu zachodzi jakoś zaraz po piętnastej. Okropność. Dobrze, że nie jestem aż tak uzależniona od długości dnia i nocy jak Twój ojciec i… niektóre rośliny – za nic ich nie wyhoduję na parapecie nie z powodu zimna, ale długości dnia właśnie. Ludzie wrażliwi na długość dnia mają zimowe depresje. Pamiętasz, jak nauczyłam Waszego tatę korzystać czasem z solarium? Mieliśmy to stare, z demobilu, i on bardzo lubił te półgodzinne sesje (lampy już słabe bardzo, ale dawały jasność i lube ciepełko).

Mnie bardziej przeszkadza nieobecność Ciebie, Słonko Ty moje ☺, i na to żadnego solarium nie ma…

U Ciebie lato, chodzisz ubrana lekko, w klapeczkach na bose stopy. U nas, jak pamiętasz – ziąb, wszędzie rośnie śnieg, obowiązuje rozsądek, ubieranie się „na cebulkę". Nie cierpię tego.

Kiedyś znosiłam zimę wspaniale! Jako dziewczę mieszkające w mieście wytropiłam lodowisko w Parku Skaryszewskim i ogromnie mnie zachwyciły moje białe figurówki. Na łyżwach bywałam codziennie. Niestety w Polsce po piętnastej jest ciemno, więc na lodowisku było inaczej niż na obrazach Petera Brueghla. Na naszym świeciły neonowe lampy, wkoło było mnóstwo zasp ze śniegu, a z megafonu leciała skrzecząca muzyka. Może nie Jarema Stępowski, ale Beatlesi, Skaldowie… I wtedy jeszcze nikt nie myślał o ZAiKS--ach. Jeździło się wesoło, zalotnie, czasem bawiliśmy się w berka, nosy się pudrowało, a policzki smarowało fluidem, żeby buzia nie była czerwona jak u Jagny Paczesiówny z *Chłopów*. Wiesz, że w tajemnicy przed babcią malowałam się, a w zasadzie robiłam tylko podkład tanim fluidem w… windzie? Siódme piętro! Dawałam radę, a jak nie, to jeszcze na parterze w lusterku z Brigitte

Bardot (kiedyś na drugiej stronie lusterek były zamieszczane fotki ówczesnych gwiazd kina) domalowywałam się, a wycierałam w drodze powrotnej, też w windzie. À propos Skaldów, jako pięciolatka odkryłaś w domu płyty winylowe, zdjęłam moją kolekcję z pawlacza i okazało się, że Czerwone Gitary, Skaldowie oraz inne moje muzyczne skarby i Tobie pasują! Wczoraj usłyszałam w radiu ich *Hymn kolejarzy wąskotorowych*. Wyobrażasz sobie teraz taką piosenkę jako hicik?

Na wsi zima potrafi być gnuśna i paskudna, zwłaszcza gdy śnieg jest brejowaty, mało go, ziąb jest przejmujący, nawet bielizna marznie. A w karmniku u Siwego widzę, jak ptaszyny chuchają w łapki. No dobrze, koloryzuję, ale tak mi ich szkoda – że bez czapeczek i szalików. Dbamy o nie – co tydzień na targu kupujemy dwa kilo słonecznika, zuchelek słoniny. I Ty wiesz? Nie chcą niczego innego, mimo że nie tylko sikorki nas odwiedzają. Po prostu dziobami strącają pszenicę, proso, rzepak! Wybredne!

Od dawna, od kiedy jestem wiejską kobietą, widzę na własne oczy to, co widywałam tylko w atlasie ptaków – trznadle, czyżyki (wspaniałe nazwy dla obcokrajowców), grubodzioby, kopciuszki, rudziki, czasem przylatuje też dzięcioł, który notabene przywłaszczył sobie budkę na drzewie przeznaczoną dla małych ptaszków. Rozdziobał otwór i jest zachwycony!

Zima to również częściej wychodzące w pobliże ludzkich siedzib sarny, łanie, zające i lisy. Czasem je widać z samochodu, gdy jedziemy po większe zakupy. Widujesz tam, u siebie, dzikie zwierzaki? Na wycieczkach? Widziałaś kangura? Kazuara? Wombata? – Wiem, że kochasz tego zwierzaka.

Śmieszy Cię moje nagłe zainteresowanie ptaszkami? Zwierzakami?

Zniosłaś moje fascynacje roślinami, i to zniesiesz! Może się starzeję i dziwaczeję?

Większe zakupy zimą pozwalają na rzadsze wyjazdy z domu. Jak się ma wór mąki (i słoik zakwasu), ziemniaki, cebulę i coś tam w zamrażalniku, a w spiżarni cukier, oliwę i sól – można przeżyć nawet jakieś wichury śnieżne i... lenia. Bywa, że nam się nigdzie nie chce jechać! Chleb się piecze i chałkę, dżemy mam własne, ukręcę jakąś zacierkę albo kapuśniak, bo kapustę też kwasimy sami, i żyjemy! Wiesz, Siwy robi pyszną kapuchę!

Senna albo lodowata zima była natchnieniem muzyków, malarzy – słyszę to u Vivaldiego w *Czterech porach roku*. Teraz słucham – gdy do Ciebie piszę.

Zima potrafi być też wspaniała – te kolory śniegu inne rano, inne w południe i inne o zachodzie słońca. Zachód – czerwonopłomienny potrafi zapalić śnieg! Była tak piosenka Czerwonych Gitar: *Płoną góry, płoną lasy.* Pewnie już nie pamiętasz… I lśnić brylantowo potrafi taki zmrożony śnieg, chrzęści pod butami, z ust leci nam para, gdy odśnieżamy, a potem wracamy do domu na gorącą zupę albo, to lubimy ogromnie, grecką musakę. Ja robię z musem ziemniaczanym, a jako że to zapiekanka – musi być gorąca, bo wydawana jest prosto z piekarnika! Popijamy winem z jabłek – zgadłaś, własnej roboty!

No i wiesz, cud, który kochamy oboje – płonący szczapami kominek. I niech sobie wiatr hula, śnieg sypie, tuż koło drzwi wejściowych mamy zrobione dłońmi Siwego regały na podręczne drewno, więc nawet nie musimy do sągu biec.

U Ciebie jak, Moja Kochana, zimą? Ciepło masz w domu? Jak z ogrzewaniem? Podobno tańsze mieszkania w ogóle go nie mają. To jak zimą? Nie zapytałam Cię… Wybacz.

Troska mamowa odzywa się we mnie szczególnie wtedy, gdy myślę o tym, czy Ci zimno, czy jesteś zdrowa, czy jadacie regularnie? Taka jestem ciekawa, co zaimplantowałaś do swojej kuchni? Wiem, że rosół umiesz robić, jak ja i jak dziadek, ale co jeszcze pichcisz, gdy masz czas? Coś nowego? Coś, czego nie znam? Nie wiem, jaką jesteś gospodynią, bo na wizytę w niedzielę na obiad to za daleko. Mam nadzieję, że wkrótce przylecimy! Wszystko zobaczę i spróbuję sama!

Wracam myślami i okiem do Petera Brueghla. Wolę jego widzenie zimy od naszego Leona Wyczółkowskiego. U niego (u Leona znaczy) jest tak statycznie, pięknie zimowo, ale statycznie, a u Petera – wesele, ubaw, łyżwy i szczególiki, które można znajdować i kontemplować. Chyba sam się znakomicie bawił.

No i jeszcze wielka frajda zimowa – sauna. O, to jest wspaniała rzecz na zziębnięte ciało i duszę. Oglądaliśmy sauny w Finlandii. Każda zagroda ją ma! To zazwyczaj chatka z maluśką werandką albo bez, zbita z prostych desek, z piecem w środku. Jednak najfajniejsza, jaką widzieliśmy, to była sauna na łodzi. Co prawda widzieliśmy ją późnym latem, ale to musiała być świetna zabawa – ludzie wnosili na tę łódź skrzynkę piwa, wielkiego łososia i worek węgla drzewnego. Na łódce bowiem stał grill. Odcumowali łódź i popłynęli spokojnymi wodami Bałtyku między fiordami na przejażdżkę. Tam woda jak na

Mazurach, jak jeziorna! Sauna już odpalona, potem grill, zabawa… Mimo klimatu i stereotypu mają Finowie fantazję!

Ściskam Cię, Słonko moje kochane! Pojutrze wpadną Starszaki na obiad, a na Wielkanoc zapowiedzieli się synowie Siwego. O, gdyby tak się zjechali wszyscy! Starszaki, Ty z Twoim partnerem, chłopaki z żonami, Michał z Martą i Jackiem, Wasz tata i wujo… to do stołu trzeba byłoby dobijać kolejne deski (jak u Muminków) i musiałabym kupić sobie kilka o wiele większych garnków, ale… chciałabym, wiesz? Lubię rodzinne spędy.

Tęsknimy za Tobą. Wszyscy Cię pozdrawiają, zwłaszcza sikorki i dzięcioł!

Całuję Twój ryjek. Mama

PS Szukałam dla Ciebie jakiegoś pięknego wiersza o zimie, ale wiesz, że nie znalazłam? Piosenki, że „hu, hu, ha, zima zła", ale liryki jakoś nie, więc wysyłam Ci Petera Brueghla.

Mamunia!

No, jak mój Duży będzie umiał powiedzieć „trznadel", to już mi niczego nie będzie do szczęścia brakowało :) Na razie umie powiedzieć tylko „łyżka". Nie wiem dlaczego – widać temat kulinarny jest bliski jego sercu... Dla Dużego zresztą łatwo gotować, wiesz? Zasadniczo cokolwiek ugotuję, to on zje i się zachwyci, a jak przesolę albo przypalę, to się zapiera, że on nic nie czuje. Kochany. Muszę tylko uważać i unikać kilku zdecydowanych „nie ma mowy", które są na jego liście. Należą do nich:

– nasze polskie zupy – „ale jakieś mięso w niej będzie?", pyta zawsze sceptycznie i czujnie. Duży akceptuje tylko zupy zawiesiste: krem groszkowy z szynką albo kukurydzianą z kurczakiem. Pamiętasz, jak zawsze Cię męczyłam o tę kukurydziankę? A nigdy nie wpadło mi do głowy, żeby się nauczyć, jak ją gotować, więc na razie posiłkuję się gotowcem z puszki. Muszę mu grochówkę ugotować. Boczek uwielbia, groch zaakceptuje, bo to proteiny, więc dobre na porost bicepsa. Podrzuciłabyś metodę, co? Bo mnie groch jakoś przerasta.

– mizeria – „chyba zwariowałaś!". No nie zje i już.

– pikle, kiszonki, marynaty – siostra Dużego słusznie zauważyła, że to chyba kwestia klimatu. W Polsce jest zima, więc są przetwory. Tu zimy nie ma – świeżynki są zawsze pod ręką, więc dla nich marynata to psucie całkiem dobrego warzywa i z założenia tego unikają. Wyjątkiem jest – i tu zaskoczenie – burak! Burak z puszki to tu warzywo niemal niezbędne, głównie do hamburgera lub sałatki. Patrz pani! Ja na szczęście mogę tu ze względną łatwością znaleźć kiszone ogórasy, kapustę, paprykę w occie, tę oskórowaną, moją ulubioną, czy nawet szczaw, ale spożywam je w zaciszu kuchni, żeby Duży nie musiał wąchać. Sztuka kompromisów. On za to wypycha lodówkę dla mnie absolutnie niejadalnymi Lemon Crisps – wyobraź sobie, kochana, dwa krakersy wypełnione masą cytrynową i… posypane solą. Yeahhhh. Paskudne.

Tak poza tym, to jest łatwo. Zaimplantowałam udatnie placek po cygańsku – niezaprzeczalny sukces. Schabowy tudzież sznycel przechodzi bez problemu. Mielony – proszę bardzo. Gulasz – ooo tak, i dużo sosu do wylizania z talerza. Swój człowiek ten mój Duży Kangur, wie, co dobre! Ryby robić nie umiem i nigdy nie umiałam, więc grilluję jakiegoś fileta w ziołach i też jest pięknie – ryba się doskonale wpasowuje w poduszeczkę z brązowego ryżu podduszonego z młodym szpinakiem i pomidorkami koktajlowymi. No tak tu sobie właśnie, Mamuś, jemy ☺.

Wiesz, czego mi brakuje? Tego cudownego uczucia, kiedy wracasz z podwórka do domu zmarznięta jak sopel lodu, ze stężałymi z zimna palcami, ścierpniętą skórą na policzkach, stawami sztywnymi od mrozu i siadasz do talerza jakiejś gorącej zupy. Żurku na przykład. Albo Twojego rosołu z kluskami. Albo pomidorowej z lanymi. Oooo tak! I czujesz, jak to upragnione ciepło spływa przez gardło do lodowatego żołądka, rozgrzewa od środka jak kula ogniowa i rozlewa się po całym ciele, przywracając kolory i krążenie. I teraz wyobraź sobie, że jest to uczucie, którego tutejsi absolutnie nie rozumieją i pewnie nawet nie są w stanie sobie wyobrazić. A mi tego brakuje…

Brakuje mi też śniegu. Ja jestem zimowa z urodzenia i śnieg zawsze był dla mnie absolutnie niezbędny do szczęścia. Wyobraź sobie, ile tracą dzieci, które nie mają śniegu! Igloo, bałwany, anioły śnieżne, wojna na śnieżki, ślizgawki, sanki, łyżwy, sople, łapanie płatków na język… Na szczęście nie wiedzą, co tracą, ale ja wiem. I smutno mi czasem, jak sobie włączę Whamowe *Last Christmas* na YouTubie… Nawet jak już byłam dorosła, to zawsze nasłuchiwałam w radiu, czekałam na tę właśnie piosenkę – i kiedy usłyszałam ją po raz pierwszy w danym roku (zwykle na początku grudnia), to był znak niechybny, że święta za pasem! I tak mi jakoś zostało do dziś.

Jestem, Mamuś, w marudnym nastroju, więc napiszę Ci jeszcze, jak nieklimatyczne są dla mnie święta bez przymrozku, swetra z reniferem i rękawiczek z jednym palcem. Choinkę mamy plastikową, prawdziwa umarłaby z przegrzania po dwóch dniach i nie nadążyłabym z odkurzaniem zeschniętego igliwia. Kartki świąteczne z brykającym po śniegu Mikołajem wyglądają jak sceny z science fiction, nijak nie przystają do wszechobecnego letniego krajobrazu. Na stole nie będzie ryb, ponieważ tu tradycyjny jest indyk i pieczona szynka. A czasem nawet – o zgrozo – barbecue. Nijakie więc będą te moje święta, ale żeby nie być całkowitą defetystką dodam, że jednak fajnie w grudniu mieć złoto-brązową, porządnie liźniętą słońcem karnację, że wciąż niezmiernie zachwyca mnie ocean, który każdego dnia ma inny nastrój, kolor i fakturę, że w końcu mam arbuza i truskawki, kiedy chcę, a nie tylko w wakacje. Są plusy, Mamuś!

A, pytałaś o zwierzaki. Nie wombat, Mamuś, tylko dziobak! Dziobak, czyli dowód, że Bóg miał poczucie humoru[1] – mój ulubiony zwierz! Bóbr z kaczym dziobem, no jak to się stało? ☺ Kangura widziałam „na dziko" w Tasmanii – kicał sobie przez krzaki wieczorną

---

[1] Cytat z filmu *Dogma* w reżyserii Kevina Smitha.

porą, a z torby wystawał mu łepek malucha. Przystanął, pogapił się na nas i pokicał dalej. Wombata na razie widziałam jedynie rozjechanego na asfalcie. Dziobaka tylko w zoo... Pająki za to są – uuu i to jakie! Najfajniejsze są tak zwane huntsmany (po naszemu „łowcy") – tutejsi je lubią i cenią, bo one żrą karaluchy i wszelkie inne paskudztwa. Pierwszy raz natknęłam się na łowcę w domu mamy Dużego. Siedział nad toaletą, patrzył się na mnie – przysięgam, że się patrzył! – i majtał szczękoczułkami (ostrzył je, żeby...). Odskoczyłam jak na sprężynie i nie sikałam już potem przez dobre trzy godziny. Był wielki jak słoń i niechybnie wciągnąłby mnie za obraz, gdyby go Duży nie pogonił skarpetą (bo zabić jednak nie pozwalam, co Duży przyjmuje z cierpliwym zrozumieniem, wznosząc dyskretnie oczy do nieba i machając ręką). Miałam też w domu pająka mordercę – ten z kolei maciupci jak biedronka (dla zmyłki), ale jak ugryzie, to się ropniak robi wielkości Big Bena na Heard Island (wielki stratowulkan w Australii). Tego jednak również zabijać nie dałam... Pamiętasz, Mamuś? Ty mnie tego nauczyłaś, biologico Ty moja – każda żywina zasługuje, by żyć. Dżdżownica, żaba, pająk, ślimak, żuczek gówniaczek, pszczoła, mrówka, pasikonik – potrafiłaś grubo po dobranocce sąsiada

z piętra ściągać, jak ojca nie było, żeby nam zabrał cykadę z wanny, ale „Jacku, w szklankę i przez okno!".
I ja też tak mam. Wyjątek stanowią tylko szerszenie, bo szerszeń to zwierzę wredne, agresywne i strasznie boli, jak użądli... Sprawdziłam, boję się i w obronie własnej biorę kapcia...

Dziś, wymieniając żarówkę, znalazłam w kloszu zaschniętego pasikonika – tak mi się go zrobiło żal! Przecież gdyby się objawił, zacykał, nakarmiłabym go i napoiła, a potem wypuściła. Pewne rzeczy nigdy się nie zmieniają.

Wiesz, co sobie właśnie pomyślałam? Że zrobię dziś pomidorówkę. Z lanymi. Na wołowinie, żeby jakieś mięcho jednak się tam pałętało. Nieważne, że na zewnątrz plus trzydzieści. Zawsze mogę się ochłodzić klimatyzacją. Buziaki, Mamuś!

Wsi spokojna…

WSI SPOKOJNA, WSI WESOŁA!

Wsi spokojna, wsi wesoła!
Który głos twej chwale zdoła?
Kto twe wczasy, kto pożytki
Może wspomnieć za raz wszytki?

Człowiek w twej pieczy uczciwie
Bez wszelakiej lichwy żywie,
Pobożne jego staranie
I bezpieczne nabywanie.

Inszy się ciągną przy dworze
Albo żeglują przez morze,

Gdzie człowieka wicher pędzi,
A śmierć bliżej niż na piędzi.

Najdziesz, kto w płat język dawa,
A radę na funt przedawa;
Krwią drudzy zysk oblewają,
Gardła na to odważają.

Oracz pługiem zarznie w ziemię,
Stąd i siebie, i swe plemię,
Stąd roczną czeladź i wszytek
Opatruje swój dobytek.

Jemu sady obradzają,
Jemu pszczoły miód dawają;
Nań przychodzi z owiec wełna
I zagroda jagniąt pełna.

On łąki, on pola kosi,
A do gumna wszytko nosi.
Skoro też siew odprawiemy,
Komin w koło obsiędziemy.

Tam już pieśni rozmaite,
Tam będą gadki pokryte,

Tam trefne pląsy z ukłony,
Tam cenar, tam i goniony.

A gospodarz wziąwszy siatkę,
Idzie mrokiem na usadkę,
Abo sidła stawia w lesie;
Jednak zawżdy co przyniesie.

W rzece na gęste więcierze
Czasem wędą ryby bierze;
A rozliczni ptacy wkoło
Ozywają się wesoło.

Stada igrają przy wodzie,
A sam pasterz, siedząc w chłodzie,
Gra w piszczałkę proste pieśni;
A faunowie skaczą leśni.

Zatym sprzętna gospodyni
O wieczerzy pilność czyni,
Mając doma ten dostatek,
Że się obejdzie bez jatek.

Ona sama bydło liczy,
Kiedy z pola idąc, ryczy,

Ona i spuszczać pomoże;
Męża wzmaga, jako może.

A niedorośli wnukowie,
Chyląc się ku starszej głowie,
Wykną przestawać na male,
Wstyd i cnotę chować w cale.

Dzień tu, ale jasne zorze
Zapadłyby znowu w morze,
Niżby mój głos wyrzekł wszytki
Wieśne wczasy i pożytki.

Kochana Moja!

Ty wiesz, że to Kochanowski? Często ludzie powtarzają „wsi spokojna" przy różnych okazjach, a czyje
to? Nie wiedzą. Ten wiersz, pisany bardzo, bardzo
dawno, sławi wieś i proste wiejskie życie, podając
jednocześnie źródło dobrobytu – pracę rąk wieśniaka
na roli, hodowlę bydełka, wytwarzanie miodu, bory
pełne zwierza leśnego, a ja dodam – jeziora pełne ryb.
Ówczesny krytyk zjechałby Kochanowskiego za ten
radosny ton, bowiem to tylko taki piękny obrazek,

a mało było wolnych chłopów, zazwyczaj jednak to poddani jakiegoś feudała musieli płacić pańszczyznę, a przy wrednych panach albo niepogodzie bywało im ciężko.

I tak samo jest dzisiaj, niby wieś jest najbliżej żłobu – bo niby sama wytwarza jedzonko (już coraz rzadziej – raczej wielkie fermy i wielkopowierzchniowe gospodarstwa specjalistyczne), ale bieda tu bywa straszna, a ciemnota mimo satelit zatkniętych dumnie na dachu domostw bywa równa średniowieczu.

No bywa!

Ja, warszawianka z dziada pradziada, to zdziwiło Cię, że nagle mnie tak na tę wieś pociągnęło, zamieniłam lakierowane szpilki na gumofilce, żakiecik na kufajkę. I tak mi dobrze, choć czasem gniewnie, żałośnie, boleśnie.

Wiesz, że sporo jeżdżę po kraju i widzę wsie bogatsze, zasobniejsze do tego stopnia, że skoro jest na chleb i szyneczkę (teraz w każdym sklepie jest szynka – gorzej ze słoniną!) i dzieci mają uśmiechnięte buzie, to gospodyni wymogła na mężu otynkowanie domu na ładny kolor (czasami aż za ładny, sama widywałaś budynki w kolorze lilaróż czy krzykliwej „elektrycznej" zieleni, ale *de gustibus...*). Sama zadba o ogród frontowy – każe zrobić piękny trawniczek, posadzi iglaki i postawi drewniany wóz po ojcach albo krasnala czy nawet fontannę. Mąż oczyści podwórko i jest już bliżej Europy!

Są też wsie biedne i brzydkie, i to nawet blisko stolicy czy innych wielkich miast. Wiele obejść niestety straszy opłotkami, które rozpadają się ze starości, domami bez tynku, nieludzkim bałaganem oraz zwierzętami trzymanymi w błocie i brudzie. Sami mają nędzę w duszach, bo jak się ma serce, to nawet w wielkiej biedzie porządek można zrobić, psu sklepać porządną budę, wydłużyć sznur (łańcuch niestety króluje na wsiach) i dać do środka słomy na zimę, ale jak serca nie ma? Kultury brak, potrzeb estetycznych za grosz, bo cały umysł nastawiony wyłącznie na walkę o przetrwanie. Smutne.

Niestety, najczęściej w głowach chłopów ciemnota – że niby jak będzie psu za ciepło, to nie będzie szczekał, tylko się grzał! Na noc jak się naje, to zaśnie i nie będzie bronił – więc pies na noc żarcia (zwłaszcza zimą) nie dostaje.

Co Ci będę pisać – stosunek do zwierząt dramatycznie ciemny, świadczący o kompletnym braku szacunku dla bydła, kur, psów. Kotu to jeszcze miskę mleka i kąt dają, bo myszy łapie. No, czasem jak jest koń, to konia się szanuje, ale konie to już rzadkość.

Gospodynie nie mają już przydomowych ogrodów, w których pyszniłaby się kapusta, ogórki, sałaty, marchew, pomidory, papryka i pietruszka. Nie ma sadów z owocami dla domowników. Po co? Wszystko taniutkie i na wyciągnięcie ręki jest w pobliskim markecie. Słodka, zżelowana woda z konserwantami i z napisem „dżem", szynki i kiełbasy, warzywa i pomarańcze, kiwi, banany (zamiast jabłek z własnego sadu) są o wiele tańsze od własnych, które wymagają pracy i troski. Ot i współczesna wieś... Na targu nie ma już właściwie hodowców, tylko handlarze – kupują warzywa na giełdzie spożywczej i odsprzedają, ani rzemieślników, bo wiejskie rzemiosło też ledwo zipie. Ani stelmachów, kowali, wikliniarzy, rymarzy, bednarzy, garncarzy i wielu innych.

Pszczelarze są. I świetnie!

Zauważyłaś zapewne, że Twoje rówieśnice, miastowe młode mamy i żony, przechwalają się w Internecie, która jakie przetwory zrobiła, która jaki piecze chleb... Zmieniło się. One nie muszą, one chcą, to taka nowa moda na eko.

Od lat jest migracja młodych ze wsi do miast, to i ta odwrotna strona, czyli mieszczuchy zmęczone miastem, uciekają na wieś, jeśli mogą. Mogą – czyli albo mają pracę, którą mogą wykonywać na wsi, albo w ogóle decydują się na przykład na nowoczesne rolnictwo albo przetwórstwo, albo mają renty, emerytury czy zasobną skarpetę i fantazję życia na wsi.

Mnie, jak wiesz, dawno wzięło.

Pomieszkałam nad Wisłą, na Mazurach, ostatnio też w kilku innych rejonach Polski i wiem, jakie są te wsie. Odległe klimatem od Kochanowskiego, od wizji sielskiej wsi pachnącej zbożem rozmaitem, wyzłacanych pszenicą, posrebrzanych żytem (tu już Mickiewiczowi pokłon). To oczywiście zależy od wielu czynników, zazwyczaj sielskość mamy w sobie, w duszy, w potrzebach, i tworzymy ją za własnym ogrodzeniem. Już poza nim wieś bywa trudna, czasem brudna, gdy gmina nie chce, nie ma pieniędzy na drogę czy chodnik, a mieszkańcom na estetyce nie zależy.

Opodal mieszkają bardzo różni ludzie, zazwyczaj dość hermetyczni, zwłaszcza gdy się dowiedzą (a szybko się tego dowiadują), że nie jestem katoliczką i nie będę z nimi w niedzielę klepała pacierzy. Czemu tak ostro? Bo przekonałam się, a zwerbalizował to znakomicie profesor Mikołejko (czytujesz go? świetnie pisze), że ta nasza wiara to zazwyczaj bezmyślne, dewocyjne odmawianie zapamiętanych pacierzy bez zastanowienia i wiedzy o tej religii, do której się przyznajemy. Nasze piśmienne prababki czytywały Pismo Święte, dzisiejsi katolicy już nie. Z rzadka młodzi ludzie ciekawi są Biblii. Ci, którzy mnie otaczają, opanowują trochę wierszy (modlitw) na pamięć podczas przygotowań do bierzmowania i komunii i to wystarcza już na coniedzielne modły bez czytania czegokolwiek, bez zgłębienia własnej wiary – co w niej jest ważne, co z czego wynika, i widzę, że słowo „miłosierdzie" odmieniane przez przypadki tak naprawdę nic nie znaczy ani w ich ustach, ani w ustach księdza. Mało kto komu pomaga, troszczy się o chorego sąsiada… Mało kogo stać na szczerość powiedzenia sąsiadowi „ty złodzieju", bo ten złodziej (mam tu takie przypadki) zaraz może rzucić oszczercy „koguta na dach" (to wiejskie określenie podpalenia – czerwony kur). Znam takich strasznych ludzi mających na sumieniu nie tylko zabite zwierzęta (przybłąkane psy, koty męczone dla zabawy), ale i człowieka (sąd dziwnie przycichł, choć winę udowodniono, a człowiek na wolności chodzi, śmiejąc się z prawa), jednak o tym wieś milczy, jakby w zmowie. Taki lajf, „sielski".

Ale żeby Cię nie wystraszyć, powiem, że pomijając te ciemne strony ludzkiej natury, mamy tu na wsi swój świat. Większy o wiele niż balkon w bloku. W zależności od tego, gdzie jestem, mam trenera fitness garden, czyli porządną łopatę, a właściwie szpadel, grabie, widły i zawsze jakiś kawałek ziemi do skopania.

Na wsi zazwyczaj jest doskonale świeże powietrze, cisza tak intensywna, że przyjezdni śpią jak powaleni narkotykiem. Wstają i mlaszczą z zachwytu.

Wiosną, latem i jesienią pracy sporo, bo natura taka już jest, że rośnie wszystko – zwłaszcza chwasty ☺. Dużo pielenia, koszenia, podcinania i... przesadzania, bo czasem okazuje się, że nasadzenie wyszło nie tak. Jak to Ty zwykle mówisz, „kurą w płot".

Wiesz, że kompletnie nie ciągnie mnie do miasta na spotkanka, kawki, ploteczki? Nuży mnie taka forma ględzenia o bzdurach. Mam koło siebie świetnego mężczyznę, który oprócz tego, że jest znakomitym gospodarzem, jest też świetnym partnerem do rozmów, do wspólnej pracy i do wspólnego... milczenia też. On mi wystarcza za całe te towarzystwa wzajemnej adoracji, kółka zainteresowań – wiesz, co mam na myśli. Kochany jest!

U wielu przyjaciół bywam w Polsce, na wsi. Czy to Podhale, czy Podlasie, bardzo lubię wieczorne siedzenie pod drzewem lub na tarasie, zwykłe jedzenie i rozmowy. Zwłaszcza jakieś kształcące albo tylko wesołe, miłe pogaduchy bez kłótni i pyskówek. Ludzie dzisiaj potrafią swoje opowieści urozmaicić slajdami, filmami, co bywa bardzo ciekawe (bywają i niemałe nudy, gdy ktoś kręci filmy dłuuuuugie i nieciekawe).

Jak jest tam, w tym Twoim nowo poznawanym kraju? Też takie wsie? Jak żyją ludzie w interiorze? Czy też składają kasę na willę na obrzeżach miasta?

Całuję Cię, Kochana Moja, idę do ogródka po warzywa do zupy i do sieni po własne ziemniaki. Taka jestem stale jeszcze zauroczona możliwością posiadania własnej marchwi i lubczyku.

Dzisiaj warzywny gulasz, kasza pęczak (lubiłaś, pamiętam!), sałata na dwa sposoby i oczywiście pomidory ze śmietaną (dostałam od pani Zosi, która hoduje krowy). Kalorycznie, ale pysznie!

Mama

„Oj, Mamuś, Mamuś, Ty wieśniaku!" – pamiętasz?

Tak Cię nazwałam lata temu, kiedy zaczęłaś się grzebać w ziemi, głosząc wszem i wobec zalety i błogosławieństwa takiego życia. Wsadzałaś te rośliny, wysadzałaś, przesadzałaś, karczowałaś, pieliłaś, kopałaś, grzebałaś, a ja nie miałam pojęcia, o co Ci chodzi. Do dziś w sumie bakcyla ogrodnictwa nie podłapałam – mój wymarzony ogród to nisko ścięta trawa i kilka drzewek owocowych. Żadnych krzaczków, skalniaczków, rabatek i zagonków – nie dorosłam do tego i może już nigdy nie dorosnę. Zresztą tu, gdzie jestem, to im więcej krzaczorów, tym gorzej, bo krzaczor to siedziba robali, a te są tu szczególnie wredne, zwłaszcza Twoje „ukochane" pająki, po ugryzieniu których w najlepszym wypadku masz bolesną opuchliznę jak po pszczole, w najgorszym lądujesz na OIOM-ie, a rodzina modli się o Twoje przeżycie. Co ważne, należy pamiętać, że dziabiącego pająka trzeba koniecznie złapać, ubić i zapakować, aby mili panowie w szpitalu wiedzieli, którą surowicę podać, czy może od razu podpiąć pod aparaturę podtrzymującą życie. Poza pająkami i towarzyszącymi im firanami pajęczyn są też przeróżne chrzęszczące przy każdym ruchu żuczki, krocionogopodobne, podłużne, jakieś takie pełzacze (błeeeeeeeeee), ćmy giganty, czyli bogongi (ciałko do pięciu centymetrów długości!), i cała masa innego obrzydlistwa. Dlatego też nie ciągnie mnie na prowincję...

Duży by chciał mieszkać poza miastem. Tu często zamiast „na wsi" mówi się „w buszu" – to nie do końca to samo, ale koncepcja zbliżona: domek poza miastem, na odludziu, w otoczeniu okolicznej flory i fauny, najchętniej samowystarczalny... I wiesz, urzekła mnie ta wizja. Wyobraziłam sobie starawą, drewnianą chatę, odnowioną może tylko w środku, aby jednak rozkoszować się takimi udogodnieniami cywilizacji jak klimatyzacja czy dobrze wentylowana łazienka, wielki kawał ziemi dookoła (co nie powinno być trudne, zważywszy, że gęstość zaludnienia raptem kawałek poza aglomeracją wynosi czasem mniej niż tysiąc osób na kilometr kwadratowy), przebiegające na horyzoncie wieczorową porą kangury, okazjonalnie wombat... Ale boję się. Ja jestem bałaganiara, nigdy nie byłam systematyczna – nie pamiętam, żeby codziennie wytrzepywać buty na wypadek, gdyby coś przez noc do nich wpełzło. Nie pamiętam o zasuwaniu drzwi z moskitierą. Nie pamiętam, żeby regularnie pryskać kąty sprayem owadobójczym. Poza tym ja potrzebuję infrastruktury – sklep, do którego mogę pójść w kapciach, kiedy zapomnę, że nie mamy już jajek, aptekę, lekarza, jakiś ryneczek czy uliczkę handlową, po której można się poszwendać, jak się ma wolny dzień... Na razie więc chyba zostaniemy przytuleni do miasta, choć i tak mieszkamy na obrzeżach.

Wiesz, tu u nas też jest kult eko, ale ja jestem pod tym względem strasznie nieufna. Tyle mówi się o kurczakach „z wolnego wybiegu", które ponoć wypuszczane są tylko na parę minut dziennie, jak więźniowie na spacerniak, o kurczakach karmionych kukurydzą, które faszeruje się tą kukurydzą tylko przez ostatnie dwie, trzy doby życia dla nadania mięsu żółtawego koloru, o „niepryskanych" warzywach, które rosną przez płot z pryskanymi, o „łososiu atlantyckim", który okazuje się być hodowlany i farbowany barwnikami na pomarańczowo. Jest tyle luk prawnych, tyle dowolności interpretacji, tyle naciągania przepisów, że już chyba nikomu nie ufam... A różnice w cenie kolosalne! Pewnie, że najlepiej byłoby samemu wyhodować, dobrze wykarmić, humanitarnie ubić i własnoręcznie uwędzić, ale to ani opłacalne, ani łatwe. Niestety. Za wygodę się płaci.

A pamiętasz, Mamuś, jak jeździliśmy na wieś do Blinna? Moją absolutnie ulubioną częścią pobytu było łażenie do chlewa i obory – uwielbiałam, kiedy prosiaczki ciamkały moje palce, myląc je z sutkami maciory. Do dziś jest to dla mnie coś niesamowicie przyjemnego i łzy mi się nawet kręcą w oczach, kiedy prosiaczek przysysa mi się do palca – jak kiedyś będę miała dom, to kup mi prosiaka miniaturę, co? No proszę Cię! Pamiętasz, jak kiedyś wujek Andrzej poszedł na podwórko ubić gęś na obiad? Gęsi były dwie. Był gąsior i były małe gęsiaki. Nie pamiętam już ile, chyba ze dwa, ledwo opierzone, takie łazęgi. Gęsi przemyślnie – czując oddech niechybnej śmierci na szyjach, ukryły się między stodołą a garażem. Leniwy tłusty gąsior dał się pojmać. Matko z córką, jaką ja odstawiłam histerię. To jeden z takich momentów życia, który – z bliżej niewiadomych przyczyn – utkwi w pamięci na zawsze. Krzyczałam, płakałam i wierzgałam, że nie wolno pod żadnym pozorem zabić gąsiora. Nie, że nie wolno zabić ptaka w ogóle. Można. Gąsiora nie wolno, bo gęsiaki mają tylko jednego tatę, a matki dwie. I zabić proszę gęś, ale od gąsiora wara. Biedny wujek Andrzej… Wlazł przecież na dach, żeby wypłoszyć te gęsi, i jedna z „matek" tego dnia straciła życie.

Wiesz, napisałaś o tej odwróconej migracji – że wieś do miasta, a miastowi na wieś. A może to dobrze? To jak krzyżowe szkolenia w pracy albo zmiana partnerów w tańcu. Może miastowi przywiozą na wieś tak potrzebne tam fundusze, rozwiązania i entuzjazm do pracy w polu, który sfrustrowani ciężką sytuacją rolnicy już stracili? Może dzieciaki z prowincji dadzą miastom trochę oddechu od tych wszystkich bzdurnych odłamów modowych i pseudokulturalnego szpanu, może pojawią się studenci, którzy naprawdę chcą się czegoś nauczyć, a nie tylko zapłacić za zaliczenie, bo i tak dziedziczą firmę po tatusiu? Warszawa, czy może Warszawka, strasznie się próbuje odciąć od tych napływających spoza aglomeracji, wyzywa ich od „słoików" czy innych „warszawian", patrzy z góry i z pogardą, a mi za nich wstyd. Bo to prawda – buractwa, chamstwa i prostactwa nie brakuje, ale nie wynika ono bynajmniej z miejsca zamieszkania. Czasem niestety wręcz odwrotnie!

Jechałam kiedyś pociągiem z kolegą – dumny warszawiak, warszawiak wykształcony, warszawiak do tego kreatywny, zatrudniony i z sukcesami. Usiadł naprzeciwko mnie i utonął w swoim ajfonie. Na Warszawie Zachodniej do przedziału z trudem wtoczyło się dziewczę, drobniutkie i chudziutkie, z walizą wielką jak stodoła, z beznadzieją w oczach rozejrzało się po półkach bagażowych i tak stało nieco bezradnie. Szturcham więc kolegę kolanem i chrząkam znacząco.

„Co?!" rzucił w końcu, odrywając wzrok od telefonu, więc wskazałam brodą na dziewczę. Kolega zaś – i tu mi wszystko opadło – niechętnie i z ociąganiem rzucił na nią okiem i wypluł z siebie „pomóc coś?". Tak, Mamuś, nadal siedząc z telefonem w łapie. Dziewczę spojrzało, mrugnęło i odparło „nie, dziękuję". Wiesz co, Mamuś, jak jeździłam tam do Ciebie na Mazury, to żaden z chłopaków, nawet – a może zwłaszcza – tych młodych, nie pozwoliłby mi przejść trzech metrów z taką walizką. Nie pozwoliliby mi odśnieżyć schodów ani wynosić mebli do ogródka. Gentlemani żyją już chyba tylko na prowincji i powitałabym ich w moim rodzinnym mieście z owacjami. A takich kolegów jak ten z pociągu mam, niestety, jeszcze kilku i chyba dobrze by im zrobił „turnus" w innym świecie. Nie chcę już wchodzić tu w kwestie emancypacji kobiet czy równouprawnienia – chodzi o proste „pomóż słabszemu". Przecież kiedyś fakt, że się było od kogoś silniejszym i sprawniejszym, był powodem do dumy! Przechwalali się panowie, który więcej uniesie, który pierwszy pannę na ręce weźmie – gdzie to się, Mamuś, podziało? Ja za tym, proszę ja Ciebie, tęsknię.

Duży zawsze nosi moją walizkę. I mnie czasem też. A ja mu robię kanapki, pilnuję, żeby zjadł coś porządnego przed wyjściem do pracy, kupuję to jego ukochane, obrzydliwe mleko truskawkowe. Dziś przytargałam dwie siaty zakupów – zaraz obiorę ziemniaki i wyfiletuję rybę, zrobię mojemu mężczyźnie porządny obiad. Tak jak drzewiej bywało. O!

Dom

Kochana Moja!

Zauważyłaś, że nawet dzieci z blokowisk, gdy rysują DOM, to jest to kwadrat ze spadzistym dachem i okienko, i drzwi, i dym z komina? Płotek i na płotku kotek? Skąd wiedzą? Z ilustrowanych bajek?

Czym tak naprawdę jest dom? Bo pojęciowo używa się tego określenia dość szeroko, a ja dzisiaj tak myślę, że dom każdy z nas nosi w sobie. W dzieciństwie to, co widzimy i czujemy, przestrzeń, nastrój, zapachy, tradycje, ludzie, to wszystko jest takim lepiszczem, z którego mały człowiek lepi sobie powoli swoje własne pojęcie domu. I Ty też musiałaś sobie taki dom zbudować, w myśli, w sercu, jak ślimak, taką psychiczną muszlę – dom, który jest zlepkiem tego, co czułaś, widziałaś w dzieciństwie u nas, u babci jednej i drugiej, a może też u koleżanek, na filmach, w literaturze?

Ciekawi mnie ten Twój DOM, który w sobie masz i który teraz materializujesz tak daleko. Jaki jest?

Zastanawiało mnie to, że jako nastolatka pytałaś mnie, czemu jestem taka inna od babci, że podobno niedaleko pada jabłko od jabłoni, a ja i moja mama byłyśmy w wielu sprawach odległe od siebie. Babcia surowsza, kładąca swoje akcenty na inne rzeczy niż ja, co było odczuwalne tym bardziej, że przecież mieszkała z nami. Ja weselsza chyba, lżejsza, traktująca Was i Wasze obowiązki bez tego ściągania brwi i perory, którymi moja mama mnie wychowywała.

Wiesz, pamiętam taką naszą słowną utarczkę, gdy Wasza babcia, zbulwersowana moją postawą jako matki, strofowała mnie, trzydziestokilkulatkę, że nie dość Was sprawdzam, kontroluję, że co wieczór nie przeglądam zeszytów, nie odpytuję i nie każę sobie podawać dzienniczka, a nuż tam coś jest do podpisania? Tłumaczyłam, że ja tego nie robię, bo Wam ufam, że raz na jakiś czas wystarczy, że aura wiecznego ściągania brwi przy temacie „szkoła" to fatalny sposób na wychowywanie itp. Awantura wisiała w powietrzu, mama-nauczycielka była przekonana o swoich racjach, a ja jako córka coraz bardziej czułam się jak ganiona uczennica, aż w końcu wytoczyłam argument ostateczny:

– Mamo! – zawołałam w obronie naszych relacji – Oni razem (czyli Ty i Stasiek, Twój brat) mają na półrocze tylko jedną tróję! (Nie pamiętałam, które z Was i z czego). Reszta to piątki i czwórki, więc o co Ci chodzi? Żeby znienawidzili szkołę i mnie jako *house komando*?

Zamilkła. Na ten argument zbrakło jej kontry. I chyba to ceniliście, że u nas nie było takiej atmosfery wojska, jeśli szło o szkołę i Wasze obowiązki. Często się śmialiśmy – nasza rodzina była rodziną gadającą i śmiejącą się. Jakoś tylko żałuję, że zabrakło we mnie kaprala, który nauczyłby Was utrzymania porządku jak w aptece, ale… ja sama aptekarką nigdy nie byłam, a i babcia też nie. Mimo tych drobnych różnic żyliśmy w tym naszym wielopokoleniowym domu mile – jak sądzisz?

Warto było wysilić się i po sprzedaży mieszkania babci zamieszkać z nią, bo powoli ślepła, starzała się i wydawało mi się, że ucieszy ją ogród. Tatko kochał działkę! Zajęcia ogrodnicze były jego pasją na emeryturze. Ale po jego śmierci mama nie przejawiała żadnego zainteresowania ogrodem. Szkoda… Za to ja znalazłam nowe hobby i do dzisiaj wprost uwielbiam kopać, sadzić, siać, podcinać, a nawet pielić. I patrzeć, jak kolejne ogrody, którymi się zajmowałam, rosły, piękniały, dawały cień i schronienie zwierzakom. Dawały też owoce i kwiaty, czyli zarówno ciało, jak i dusza są usatysfakcjonowane. I spójrz, ani Ty, ani Stach nie przejawiacie żadnych tego typu pasji! A może to taki etap w życiu?

Mówiłam Ci, że często wpadają z Matysią?

Lubimy bardzo te wizyty – dom nagle ożywa, bo tak na co dzień jest domem ciszy i kompletnego braku pośpiechu. Mamy czas na zasłanie łóżka, na przygotowanie obiadu z czułością i fantazją, na robienie przetworów… O, właśnie! To chyba też wspaniała cecha domu rodzinnego – taka z lekka staroświecka, obecnie modna! Przetwory, zwłaszcza dawane dzieciakom, gdy odjeżdżają po wizycie u stęsknionych rodziców. To taki odruch miłości: „Masz tu w koszu kompot z czereśni, dziadka wino owocowe, moją naleweczkę z pigwy, udała mi się w tym roku, i dżemy dla Matysi, o, a tu, zobacz, grzybki masz, a tu ogóreczki. No to buziaki, pa!".

I wiesz… ten odruch miłości tak jest u nas zjechany, sparskany wrednie – bo przyjezdni warszawiacy nazywani są pogardliwie „słoikami". Smutne.

Żałuję, że nie mogę Ci wysłać tego wina ani naleweczki, bo naprawdę udane! Wino Siwy mi zrobił z drylowanych wiśni! Pyszne, półwytrawne, bardzo wiśniowe! A nalewka z pigwy – poemat! Limoncello może stanąć w drugim rzędzie! Śliwella pyszna, Siwy smaruje nią chałkę grubo, z uśmiechem zachwytu. Dam Ci przepis, macie tam porządne śliwki?

Uściski, Kochanie. Bardzo jestem ciekawa, jaki jest Twój dom? Co w nim jest z naszego domu? Jaka Ty jesteś jako pani domu?

Tęsknię – Mama

Mamuś!

No coś jest na rzeczy z tym spadzistym dachem i płotkiem, choć, jak pamiętasz pewnie, ja zawsze opowiadałam się jednak za mieszkaniem w bloku… Może dlatego, że ta nasza rodzinna chata na kurzej stopie była taka felerna? Pamiętasz? Architekt nam powiedział, że to dom drewniany, więc „pracuje". To doprawdy bardzo ładne i poetyckie określenie na „wypacza się", ale niestety nie osłodziło nam wiecznie pękającej glazury, cieknącego dachu – a jak pamiętasz, ciekło czasem w zupełnie zaskakujących i nielogicznych lokalizacjach, z zapchanych rynien, podtopionego przy każdym deszczu garażu… Straszny był ten budynek i do dziś wspominam go jako wieczną inwestycję i graciarnię (strych). Ale wiesz co… mimo wszystko był to Dom, przez duże „D". Tam się razem wygłupialiśmy, gotowaliśmy, oglądaliśmy filmy, zapraszaliśmy gości, ścieraliśmy się personalnie i międzypokoleniowo, mijaliśmy się czasem zupełnie w cyklach dobowych, co doprowadzało biedną babcię do furii, i zwierzaki różne tam chowaliśmy – koty psy, szczurzankę… Święta różne i celebracje tam organizowaliśmy, chociaż Tobie czasem nie chciało się ubierać choinki, ojcu kupować prezentów, a nam rozmawiać z dalekimi ciotkami i wąsatymi wujaszkami. Ale tylko czasem, bo tak w ogóle to normalnie było – rodzinnie.

Próbowałam już parę razy stworzyć swój oddział DOMU w moim bloku, w moim M3, ale sukcesów zbytnich nie osiągałam. Czasem było bliżej ideału, czasem dalej, ale tak do końca nigdy to Dom nie był z jednego prostego względu – jakoś zawsze w rozmowach z jednym czy drugim moim nie-mężem przewijało się „jak już się przeprowadzimy…". Moje mieszkanko było domem przechodnim, domem tymczasowym, półdomem, niedośćdomem. Takim ot, domem na teraz. Czemu? Wiesz, Mamuś, ja uważam, że Dom to jest trochę jak Kościół – to nie lokal, to ludzie. Można przecież mieć Dom w przyczepie kempingowej, można w lepiance na obrzeżach pustyni, można w pałacu i można w co roku innym, wynajętym mieszkaniu. Tu, gdzie jestem, Mamuś, nie ma nawet czegoś takiego jak adres zameldowania – bo po co? Tu co chwila się ludzie przeprowadzają, zmieniają na większe lub mniejsze, budują lub przebudowują, przenoszą się bliżej pracy, teściów, dziadków, oceanu albo koniunktury. A Dom jedzie z nimi. Myślałam o tym ostatnio dużo i postanowiłam popracować nad tym, żeby Dom był w nas, a nie wokół nas. Nie inwestuję więc w świeczniczki, pudełeczka, firanki i filiżanki. Staram się za to inwestować w tradycje, w nasze miejsca, nasze zwyczaje i naszą unikalną atmosferę. Ubieram choinkę i obkładam ją prezentami, choćby maluśkimi, wieszam rysunki na lodówce, uzupełniam wspólny – czteroosobowy, więc gęsty – kalendarz planów i obowiązków, gotuję domowo i pozwalam na eksperymenty:

– Co chcesz do paluszków rybnych?

– Syrop klonowy!

– A… No to masz.

Takie rzeczy tworzą Dom. Wiesz, Mamuś, kiedy jedziesz samochodem, wszyscy są już zmęczeni i głodni po całym dniu, nieco marudni i nieco niemrawi, a Ty mówisz „to co, omlet z serem?" i widzisz, jak wszyscy naraz unoszą brwi, otwierają szeroko oczy i kiwają głowami w bezgłośnym, ale entuzjastycznym „TAK!", to wiesz, że zaraz będziesz w DOMU.

Smutno mi czasem, Mamuś, bo do pełni szczęścia i pełni Domu brakuje mi pełnego stołu – w sensie pełnego ludzi. Pamiętasz? Sama kiedyś mówiłaś, że Ci się marzy taka biesiada jak w *Moim wielkim greckim weselu* albo *Pod słońcem Toskanii* – masa osób, trzy albo i cztery pokolenia, babcie i dziadki, dzieciary i bachory, dziewczyny w kuchni obierają ziemniaki, panowie kroją mięso i polewają wino i nalewki. Chciałabym tak czasem. I nie wiem w sumie dlaczego, bo ja jestem przecież odlud zupełny, ja lubię być sama, męczy mnie hałas i gwar, szybko się nudzę rozmowami o niczym i obowiązkowymi grzecznościami, szlag mnie trafia na myśl, ile po takiej imprezie będzie sprzątania. O Jezu… No, ale gdzieś ten archetyp domu wypełnionego ludźmi siedzi mi w głowie…

Wszystko w swoim czasie, nie? Tak myślę ☺.

Myślę sobie też, Mamuś, że są różne Domy na różne momenty życia. Jak byłam mała, Domem było nasze mieszkanie na Gocławiu – wydawało mi się wtedy wielkie. Miałam w nim swoją huśtawkę rozpiętą między framugami i rozkładane łóżko, za którym można się było chować, i kanapę rozkładaną, na której spałaś z tatą, a jemu stopy wystawały poza obrys, bo był za wysoki. Potem był nasz drewniany Dom „pracujący", gdzie każdy z nas miał swój pokój i swoją prywatność, swoje rzeczy, swoją muzykę, swoje „zabawki"i swój mały światek. Miałam ten swój pierwszy osobisty pseudo-dom, pełen nieudanych eksperymentów i błędów nowicjusza, gdzie nic nie działało jak należy i zawsze czekało się na coś lepszego, co kiedyś nastanie. Kiedy przyjechałam tu, pierwsze święta spędziłam z moimi lokatorami w naszym wynajętym naprędce Domu, który miał wtedy tylko łyse podłogi, w salonie z zimnej glazury dwa stare ogrodowe fotele, materac na podłodze i choinkę ze sklepu „Wszystko za pięć dolarów". I też czułam się jak w domu, bo było nam tam dobrze! Teraz mam dom między parkiem a oceanem, blisko szkoły i sklepu monopolowego, wiecznie zabałaganiony, bo małe potwory nie do końca jeszcze umieją po sobie sprzątać. I jest mi tu dobrze, choć czasem ciasno – mówię Ci, ten stół na dwadzieścia osób będę jeszcze kiedyś miała!

Też potęskniłam między zajęciami! ☺

Pa!

Zaduszki, Halloween,
czyli smutek i radość przy świecach

Kochana Moja!

Ty tam się odsłaniasz słońcu, a my tu witamy się z ciepłymi butami, kurtkami…

Pierwsze dni listopada, zimno nam, bo zimno i bo to święta zmarłych, a w Polsce to święto, które jakoś wieje zimnem niekochanej kostuchy.

Zresztą nie narzekam, mamy wyjątkowo ciepłą jesień, ostatnie tygodnie to już doprawdy rozpusta! Kilka dni temu były dwadzieścia cztery stopnie. Dzisiaj, gdy cała Polska już drugi dzień obsługuje cmentarze – ani deszczu, ani śniegu, nawet ciepło jak na te dni... I wszędzie sporo rozmów o śmierci, która jest podobno tak pewna jak podatki. Jedni opisują zupełnie inne obrządki, na przykład meksykańskie czy gruzińskie, cygańskie, gdy rodziny na grobach stawiają wota w postaci potraw, wódeczki, wina, świec, a Zaduszki zamieniają się w rodzinną bibkę ze wspomnieniami, pieśniami i weselem, bo przecież my żyjemy! Wielokulturowe Stany oswajają od lat śmierć swoim Halloween, a u nas kompletnie zapomniano, że takie Halloween czy meksykańskie *danse macabre,* to nic innego jak nasze polskie pogańskie Dziady. No, ale cóż – dzisiaj są to święta niepoprawne z punktu widzenia Kościoła i sama wiesz, jakie są boje o te dziecięce zabawy w „psikusa" czy „cukierka". Pamiętasz, gdy mieszkałaś jeszcze z nami pod Warszawą, jechałyśmy na nasz bazarek po owoce w czekoladzie dla tej nowej formy obłaskawienia śmierci przez dzieciaki naszych sąsiadów?

Ty wieczorem jechałaś na swoje imprezki, a ja czekałam na jakieś puk-puk koło osiemnastej. Już noc za oknem, a przed drzwiami stoją małe ludziki w przebraniach, z koszyczkami i z przejęciem robią „buuuuu!", wołając zaraz „psikusek czy cukierek?!". Udawałam, że się przestraszyłam i zaraz mówiłam: „Dam, dam cukierka! A dostanę wierszyk jakiś?".

I najmłodszy jakiś kurczak, przebrany za Batmana czy Spidermana, kościotrupa czy tam duszka, mówił wierszyk, a ja sypałam mu owe śliwki w czekoladzie. Zza krzaka przytomni rodzice (no bo kto mądry puści pociechy same w taką ciemnicę od domu do domu?!) szepczą tak, że słychać dobrze: „Krzysiu, dzieci! Podziękujcie i ukłońcie się ładnie!". I „straszne strachy" się kłaniały! Czy komuś się dzieje przez to co złego?

Następnego dnia są już nasze polskie święta obchodzone po naszemu – dość smętnie. Dlatego akceptuję zamianę słowa cmentarz na smętarz. Tak jest logiczniej!

Lubiłam z Wami jeździć na groby, bo był stosowny czas, żeby porozmawiać jakoś inaczej niż codziennie o dziadkach i o tych, których tak chętnie odwiedzaliśmy, spacerując alejkami, nawet gdy było zimno. Nieznani nam osobiście ludzie, dla nas wybitni z jakiegoś powodu, dostawali od nas małe światełko. Dbałaś zawsze o to, żeby nieznanym żołnierzom zapalać znicze.

Ty wiesz, dzisiaj taka dyskusja na Facebooku – czy zabierać małe dzieci na cmentarz czy nie? Zdania różne i niestety sporo młodych mam jest za kloszem. Że w domu, owszem, można powiedzieć co nieco o tym, że prababcia zmarła, ale żeby zabierać na pogrzeb? Żeby się dzieciak zamartwiał? Płakał? Że to, według tych mam, zbyt ciężkie dla malucha. Chyba nie wiedzą wiele o psychice dzieci. Te już od przeczytanych bajek są świadome, co to sierotka (Kopciuszek), bo mamusia jej zmarła, że tatuś to wdowiec (też u Jasia i Małgosi), że jest coś takiego jak śmierć i dzieci jakoś sobie z tym radzą, a radzą sobie łatwiej, niż sądzimy. Nie są aż tak uzbrojone w wiedzę i empatię, pojmują to bardziej filozoficznie, bardziej bajkowo, niż myślimy. No i też nie powinno się dziecka wychowywać, zabarwiając mu świat nienaturalnie wieczną radością. Jest szczęście, zabawa, śmiech, są i łzy, i ból, i smutek – to naturalne i bardzo potrzebne w osiąganiu dojrzałości. Pamiętasz z *Dziadów*? – „Kto nie był ni razu człowiekiem, temu człowiek nic nie pomoże". W tych samych *Dziadach* jest problem takich wypieszczonych dzieci – Józio i Rozalka, którym w niebie nie jest dobrze, bo nie zaznały za życia smutku, goryczy. Dzisiaj mało które dziecko ma szansę na poznanie owych uczuć, chyba że to ono obrywa wiaderkiem i to jemu są wyrywane zabawki.

Tak czy siak, nie zgadzam się z tym parasolem rozpinanym nad dziećmi, gdy w domu jest żałoba, gdy zmarł ktoś bliski albo bardzo kochany, dziecko też musi się zmierzyć z własnym bólem, żalem, mieć z kim to omówić, poprzytulać się w ramionach rozumiejącej rodziny. Co nie przeszkadza mu potem zabawiać się z rówieśnikami w duchy i strachy. Nie widzę niczego złego w tym, że dziecko chce babci do trumny włożyć czekoladę albo ukochanego misia.

Opowiadałam ci, jak w D. żyło stare małżeństwo i on, pracując całe życie w jakimś mundurze (był chyba kolejarzem), powtarzał żonie, że już nachodził się w eleganckich ciuchach, więc do trumny na wieczny sen koniecznie chce być ubrany w ulubioną flanelową piżamę, skarpetki i kapcie. I tak został pochowany! Piękne, prawda?

Czytałam dzisiaj, jak szczerze ludzie wypowiadali się o tym, że bardzo boją się śmierci. Hmmmm. Śmierci czy cierpienia, choroby, bycia niezdarnym, zależnym od innych? Śmierć jest rozluźnieniem, wybawieniem od cierpienia, wiecznym snem. Też tak myślisz? Pamiętam, gdy mój tatko, a Twój nieznany Ci dziadek, umierał na raka w szpitalu. Leżał na małej sali sam. Któregoś dnia zobaczyłam w jego twarzy znamię śmierci. Coś w oczach, zapadnięte policzki i coś co do dzisiaj widuję u tych, których kostucha trzyma za szyję. Tatko powiedział, że ma mi coś do przekazania, czułam co. Położyłam się obok niego, objęłam. Pachniał sobą, moim tatą. Mówił mi różne rzeczy, dysponował, co i jak ma być w kwestii pogrzebu, gdzie są dokumenty i żebym dbała o mamę. Potem tylko mnie gładził po głowie, jakby uspokajając, że to nic takiego. Że przyszedł czas. Zmarł nazajutrz, jakoś tak. Na kolanach mamy, która bywała u taty codziennie. Jakby wyczekał. Zasnął.

Cieszę się, że tak właśnie się pożegnaliśmy. U mamy też byłam tuż przed jej śmiercią i mimo że była w śpiączce – mówiłam do niej, trzymałam za rękę i dodawałam otuchy. Zmarła nad ranem.

Miałam w sobie wielki spokój, choć oczywiście także żałobę. A pamiętasz, jak dziadek Stach, mając już z dziewięćdziesiąt sześć lat, mówił do Maćka – Twojego taty: „Wiesz co? Umarłbym już. Nudno mi tu, już niczego nie rozumiem, mam dość".

Może tak to powinno być, gdy termin przydatności mija, a choroba nas nie zjada, zaczyna nas nudzić świat i wtedy godzimy się na ten wieczny sen chętniej?

A ten żal, że umieramy, to może jest tylko taką złością, że oto ten „bal nad bale" toczył się będzie już bez nas? Może to takie uczucie utraty kontroli nad tym, co dokoła? Że nie zobaczę, jak siwiejecie, jak się starzejecie, jak dorośleją wnuki czy prawnuki? Jak wyrośnie ta jabłoń, którą posadziłam koło domu, ta, która ma takie pyszne jabłka? I ta grusza koreańska, która tak leniwie owocuje, tak przechorowała ostatnie przymrozki…Jaka będzie jako wielkie drzewo? Może to właśnie ta utrata możliwości kontrolowania obserwacji życia tak nas wkurza?… Po smętarzu zawsze rodzinny obiad w domu. Im zimniej, tym milej przyjść do ciepłego wnętrza i zasiąść do stołu do pożywnego, rozgrzewającego obiadu. Jak żył tatko – najczęściej robił barszcz ukraiński na sposób dziadka Felka. A ja robiłam fasolówkę, grochówkę, bo też rozgrzewająca, a rzadka zupa u nas.

A Ty, co pamiętasz z polskich Zaduszek?

Ciemno już. W ogrodzie od przedwczoraj mruga do nas wydrążona dynia ze świecą w środku. Ma śmieszny wyraz „twarzy”, niby taka groźna, ale sflaczała jej tkanka podgrzana świecą i dzisiaj uśmiecha się dość sardonicznie. Szczęki się jej zapadły jak komuś bezzębnemu… Żałosna się robi, ale wciąż świeci!

Pa, Kochana Moja.

PS Właśnie zdałam sobie sprawę, że Wy też się zestarzejecie, a nawet poumieracie i to mnie zaskoczyło. Wy?! No coś takiego!

Mamuś!

Dziwne, ale cmentarz zawsze lubiłam.

Powązki wojskowe najbardziej, bo tam były bardzo szerokie alejki, na których ludzie się nie tłoczyli, a spacerowali. Lubiłam groby młodych żołnierzy, na których zostawialiśmy te najmniejsze lampeczki – anonimowe, identyczne, wszystkie ustawione w równiutkim szeregu jak na musztrze. Niektóre obtłuczone, niektóre porośnięte mchem, na niektórych wyryte w kamieniu imię i nazwisko zatarło się już tak, że niemal nie dało się go odczytać. Między grobami skakały hoże wiewióry i łasiły się o orzecha, a my przynosiliśmy im chyba włoskie, bo tych u babci nigdy nie brakowało. Dość wredne to z naszej strony, bo one mają grubą skorupę i to sporo roboty dla takiej rudej. Dziś wszyscy przynoszą wyłuskane już i opłukane z soli orzeszki ziemne. Farciary z tych wiewiór. A w ogóle to zauważyłaś, Mamuś, że nikt już nie je orzechów włoskich? Babcia zawsze miała pełną miskę schowaną w kredensie. Czasem podjadaliśmy je ot tak, na przekąskę (chociaż, o ile pamiętam, głównie dla atrakcji, jaką było kruszenie skorup dziadkiem), zwykle jednak używała ich do tortu – jedyny wypiek, który się u niej pojawiał przy ważniejszych świętach. Tort z kremem orzechowym, obłożony połówkami orzechów włoskich. Strasznie się śmiałam z tych połówek, bo wyglądały jak małe móżdżki. Nie pamiętam już, kiedy ostatnio jadłam taki móżdżek... Dziwne...

Ja też pamiętam, kiedy umierała babcia. Odwiedziłam ją tydzień wcześniej i pomyślałam sobie wtedy: „ona już by chyba chciała odejść". Pamiętasz, Mamuś, co mi zawsze mówiłaś o babci? Że jej dramat polega na tym, że nie wierzy w życie pozagrobowe, w niebo, w reinkarnację czy nawet transfer energii. Całe życie pragmatyczna agnostyczka... Ale wiesz co? Mam ogromną, OGROMNĄ nadzieję, że pod koniec życia uwierzyła. To takie potrzebne, tak ułatwia pogodzenie się z nieuchronnym, daje siłę i nadzieję, że to wszystko było po coś. Ja wierzę – choć nie do końca wiem w co, ale wiara w „ciąg dalszy nastąpi" pomaga mi sobie radzić ze śmiercią.

Nie rozumiem, dlaczego miałoby się nie zabierać dzieci na cmentarz. Naprawdę nie rozumiem. A masz rację, że jest sporo osób temu przeciwnych. Co więcej, kiedy rozmawiam ze znajomymi, wszyscy zdają się cmentarza unikać jak ognia, a zaduszne wizyty na Bródnie czy Wólce traktują jak przykry obowiązek do odbębnienia. Pukają się w głowę, kiedy mówię, że ja bym chętnie się przeszła na spacer na groby, no, chyba że na Stare Powązki – bo wypada. Czemu nie?

Lubię chodzić po cmentarzach. Wiesz, jakieś pięćdziesiąt metrów przed grobem dziadka ktoś na krypcie postawił posąg rycerza na koniu. Koń jest w pozycji wzniesionej, wierzga przednimi nogami, rycerz ma w dłoni miecz, całość jest wyższa ode mnie, więc sięga może nawet dwóch metrów? Stylistyka posągu jest toporna, grubo ciosana, trochę w stylu Przodowników Pracy na Placu Konstytucji. Myślę, że to celowe, by postać tworzyła zwartą bryłę – może chcieli uniknąć obtłukiwania cieńszych elementów, może rycerz miał być z założenia męski, mocny i silny, by symbolizować coś ważnego dla rodziny zmarłego? Uwielbiam tę rzeźbę, choć pewnie niejeden nazwałby ją przesadną, patetyczną i niepotrzebną. A ja ją uwielbiam, bo jest piękna i inna, bo jest warta odwiedzania, warta zatrzymania się, przyjrzenia z każdej strony i zastanowienia, kto tam leży, kim był, jaki był. Lubię patrzeć na tabliczki na płytach i umieszczone na nich inskrypcje. „Tu spoczywa Elżbieta, na zawsze w naszych sercach i pamięci…", „… dołączyła do Aniołów…", „… najdroższa moja żona…". Czasem jest jakiś cytat, wers z Biblii, słowa poety. Lubię patrzeć na nazwiska i imiona, które dziś są już całkiem zapomniane –

Apolonia, Ludmiła, Romuald, Eustachy. Bajeczne! Często zatrzymuję się przy grobach zapomnianych, zawalonych, pożartych już częściowo przez glebę cmentarza, zatopionych w trawie i mchu, opatrzonych całkiem już zatartym i nieczytelnym nazwiskiem i zastanawiam się, czemu nikt go nie odwiedza. Może też umarli? Wyjechali? Może to był zły człowiek i nikt nie chce go pamiętać? Może nie wiedzą, gdzie jest pochowany i po prostu nie mogą go znaleźć? Tam też stawiam czasem świeczkę. Za zapomnianą duszę.

Widzisz, Mamuś, tak mnie jakoś wychowałaś, że groby są mi chlebem powszednim. Już jako dzieciak urządzałam pochówki biedronek, żuczków i innych robali. Przybiegałam do Ciebie z wypiekami na twarzy, informując o kolejnej udanej ceremonii, a ty odpowiadałaś: „Ta biedronka pewnie wciąż żyła! No nic, wygrzebie się z tego piachu przez noc..." i wracałaś do gotowania. Złośliwa małpo! Zawsze jednak pamiętałam, by każde moje zwierzątko pochować. Pewnie nawet nie wiesz, jak się zmarło mojemu ślimakowi afrykańskiemu, Dżordżowi. Ja już byłam tu, na obczyźnie, kiedy Gosia poinformowała mnie, że Dżordż się nie budzi, a muszla zaczyna podejrzanie śmierdzieć. Wiem, że to tylko ślimak, a ślimak to przecież nie pies, wiem, że on nie miał mózgu zbyt dużego, nie aportował, nie łasił się i pewnie nawet nie kojarzył, że do kogoś należy, ale łza mi się w oku zakręciła. Gosia doskonale rozumiała powagę sytuacji i pochowała Dżordża pod drzewem na osiedlu. Z pochówku otrzymałam szczegółowy raport, włącznie z informacją, że towarzyszący jej przy procederze P. „zachował powagę i nawet nucił z namaszczeniem marsz pogrzebowy".

Kończę już, bo mi się dziwnie zrobiło... Nie chcę myśleć o śmierci...

Buziaki, Mamuś! Wyślij przepis na grochówkę, bo ostatnio poległam!

PS Duży miał rację. Papugi nasrały na balkon.

Rozwiązki, czyli patchwork

Kochana Moja!

Rozwiązki (ładna nazwa – prawda? Pomysł na to słowo – Kasia Grochola).

Kilka lat temu z wielkim zainteresowaniem wysłuchałam audycji radiowej o związkach. Postacią odpytywaną był nieznany mi (nazwiska nie pamiętam nawet) profesor socjologii, a pytającymi głównie dziennikarki. Rzecz była o związkach i rozwiązkach, czyli rozwodach, a właściwie to przede wszystkim o nich. Od kilku lat dziennikarze, publicyści, blogerzy i specjaliści wszelkiej maści biją na alarm, że taki ten świat dziwaczny – kiedyś nie do pomyślenia, a dzisiaj rozwodów ile wlezie! Nie ma nic trwałego, prawdziwego i wiesz…

No i tak sobie myślę, za panem profesorem, że racja tkwi w innym myśleniu niż to prezentowane przez owych wołaczy. Pan profesor ze stoickim spokojem opowiadał o tym, że zamiast pomstować, krytykować, wyklinać, należy zjawisko zbadać i może na nowo zdefiniować? Wszak, mówił, związek małżeński podlega takim samym zmianom, jak zmiany społeczne, jest układem dynamicznym. Faktycznie, dzisiaj z rzadka decydujemy się na coś trwałego – od spinki do włosów po dom – mamy świadomość, że to są wielce zmienne rzeczy – popsute czy niemodne, niewygodne – odrzucimy, sięgając po nowe. I dlaczego nagle mamy inaczej traktować związki?

Powiem Ci coś może obrazoburczego, a może… myślisz podobnie? Zmieniamy się, dojrzewamy, co kilka lat czuję w sobie ciężar nowych doświadczeń, spostrzeżeń, jestem dzisiaj kimś zupełnie innym niż trzydzieści, ba, niż siedem lat temu! Bywa, że zmiany idą równolegle, ale bywa, że się wykręcają, zbaczają od wspólnego toru i po kilku latach patrzysz na partnera czy partnerkę i myślisz „KTO TO JEST?!".

Jak można człowiekowi bez doświadczenia, komuś młodemu i nafaszerowanemu mrzonkami, marzeniami i pięknymi planami na przyszłość zbudowanymi na lichutkiej podstawie (bo jak się ma ledwie dwadzieścia lat – jaką podstawę można mieć, jak nie pryncypia zapożyczone od rodziców, książek, znajomych, filmów? Własnych jeszcze brak!), kazać przysięgać na **CAŁE ŻYCIE?!** Nadto przysięga nie obejmuje reklamacji – stworzona na podstawach religijnych nie dopuszcza tego, że ktoś krzywoprzysięgał i zataił, że lubi pić, bić albo nosi w sobie bombę z opóźnionym zapłonem, czyli jakiś wór kompleksów, i dopiero za jakiś czas stanie się domowym tyranem/tyranką? Dla mnie taka przysięga jest niedorzecznością. Dwudziestolatek bez dostatecznej wiedzy i doświadczenia przysięga na całe życie?! Bywa, że z najlepszą przyjaciółką, przyjacielem rozstajemy się z nagła albo przyjaźń się rozpływa, rozwadnia, ginie śmiercią naturalną i żadna kroplówka czy zestaw do intubacji jej nie ożywią. Skąd przeświadczenie, że miłość małżeńska podlega innym prawom, że trwa i trwa, aż do śmiertki? Wspaniale, gdy tak cudnie sobie trwa! Oklaski, goździki i medal, zdjęcie z prawnukami i tort bezowy, a… jak zdechnie gdzieś po drodze? Zamiast żyć w martwym związku, trzeba uczciwie podać czas zgonu i… dać sobie nawzajem szansę na nowe życie.

Dzisiaj już wiemy, że związki małżeńskie są oparte na ciut jednak innych zasadach niż wtedy, gdy kobieta nie pracowała, nie miała głosu, była najpierw jakby własnością ojca, a potem męża. Dzisiaj obie strony zawierają umowę, w której mają równe prawa i obowiązki, a, jak już wiem z doświadczenia, nawet gdy wszystko w miarę gra – ludzie z czasem rozwijają się w różne strony, tak zakręcą, tak się ukierunkują, że każde jest w innym świecie, ma kompletnie inne potrzeby i związek jest już związkiem z kimś nieznanym albo… niewolą, dyskomfortem, czasem wręcz dramatem, jak niewygodne lakierki. I gdyby przyszło im się dzisiaj związać ze sobą – nie związaliby się za skarby!

Jak do tego dodać kłótnie i rosnącą niechęć, mamy powód do rozstania, który jest oczywiście krzywdzący, trudny, gdy są małe dzieci, ale kiedy są już dorosłe, uważam, nie powinny szantażować rodziców, jeżeli ci żyją w obcości i gniewie, czasem nawet nienawiści. Nie lepiej się rozstać?!

Wiesz, że nasze rozstanie z twoim ojcem jest rozstaniem właśnie tym późniejszym. Wy już dorośli, a my w dyskomforcie, rosnącej obcości, złości, że nie jest już tak jak kiedyś, do tego jeszcze jakieś uwierające sprawy. Zwyczajne dogadanie się, że pora kończyć, było stokroć lepsze niż życie w takiej lodówce i słuchanie, jak nam tyka zegar.

Dziękuję Wam, że podeszliście do tego tak rozsądnie i empatycznie! Dzisiaj mogę bez problemu powiedzieć, że ja i Pierwszy kumplujemy się, a to jest możliwe właśnie dlatego, że rozwiązaliśmy związek. Nie krępuje nas nic, co krępowało i było nie do naprawienia. Tylko w złotych myślach i na słodkich zdjęciach z Kwejka wygląda na to, że to możliwe, „tylko nam się nie chce, bo jesteśmy nastawieni na nowości". Nieprawda. Zazwyczaj bywa już za późno. Związek można naprawić skutecznie, gdy to są nieporozumienia, nawet mnóstwo, ale jeśli się wkradła niechęć, zdumienie kimś, kto zupełnie nie przypomina osoby, którą kochał, gdy nie ma seksu, a wlazł wstręt do niego – to jest już po Titaniku.

Nieprawdą jest, że wszystko można naprawić. Czytałam o różnych terapiach rodzinnych i tylko jeden wywiad z takim udanym powrotem – jeden! Wiem, że po pierwsze trzeba chcieć, ale zazwyczaj bywa zbyt późno, bo iskierka zgasła dawno, czekając na jakieś cudowne ozdrowienie związku.

Znam takie układy, w których niezwykle się zdewaluowało to „przecież przysięgaliśmy" i dzisiaj małżonkowie żyjący ze sobą w obcości i niechęci są zakładnikami tej przysięgi, którą składali jako nieświadomi niczego, młodzi, romantycznie nastawieni ludzie. Przykuci do niej jak kajdankami, siedzą na popiele pozostałym z ich życia i zaczynają ze sobą współistnienie pełne niechęci, zaczynają też karmić się tym, bo inaczej nie umieją, nie mają odwagi.

Oczywiście wiesz, że jest i druga strona medalu – związki zawierane przez pomyłkę, z powodu nieplanowanej ciąży etc., ale najgorsze są chyba takie, w których młodzi ludzie kompletnie pomylili pociąg seksualny z bliskością. Te rozpadają się najszybciej, i dobrze! Tylko dzieci żal, gdy już się pojawiły.

Córeńko, mam prawie sześćdziesiąt lat, jestem w drugim, bardzo szczęśliwym związku. Mamy przed sobą jeszcze, licząc optymistycznie, kilkadziesiąt lat! Myślę, że dobrze się stało, że ojciec i ja wreszcie skłonni byliśmy zakończyć to, co od kilku dobrych lat próbowaliśmy łatać. Bo próbowaliśmy!

Dobrze się stało, że mamy szansę na to, by dalsza część naszego życia nie toczyła się w cieniu, w smutku, rozczarowaniu, żalu i cierpieniu. Że każde z nas ułoży sobie życie po swojemu – żeby było jak najlepiej.

Trafiłam na Siwego, który jest świetny! Pamiętasz, jak Ci go opisałam, gdy próbowałam Cię zawiadomić, że nie jestem już sama? „… jest ukuty ze szlachetnego kruszcu". Kocham i jestem kochana. Nadto, jak sama to określiłaś, zgrabnie nam wyszła ta nasza rodzina patchworkowa. Ten zlepek różnorodzinny. Do tego, żeby powstał, potrzeba wszystkich. I może najmniej przychylny ku temu był Twój brat, ale moja synowa go przekonała, że szczęśliwi osobno to lepsze niż nieszczęśliwi razem.

Nigdy nie zapomnę tej chwili, w której nas oboje – mnie i Twojego ojca – naszło na szczerość. Lekki strach, ale wykładamy karty na stół i... Nie ma agresji! Jest ulga – „wiesz, też o tym myślałem". Potem spokojna rozmowa o tym, jak to przeprowadzić, bo teraz to już tylko formalności i jakieś dogadanie się co do majątku. To jest możliwe! Jest tylko warunek – nikt nikogo nie skrzywdził, nie poniżył, nikt nie przestał drugiej strony szanować i oboje rozumiemy, co się stało.

A potem proste pytanie: „przepraszam, że pytam, ale... Ty... masz kogoś?", i wtedy potrzebny jest spokój, bo oczywiście coś zakłuje, lata razem robią swoje, ale po chwili, gdy odpowiedź jest twierdząca, trzeba włączyć rozsądek. Nie można być psem ogrodnika, skoro od lat jest nam ze sobą źle, zimno i złowrogo, nie sypiamy ze sobą (to jest ostatni bastion czułości), to trzeba to ewentualne zakłucie zazdrości zniwelować gumką-myszką albo papierem ściernym. Da się! Pisałam Ci może, że jedna z moich znajomych opowiedziała mi, jak po rozwodzie oboje z byłym mężem weszli w nowe związki. Przyszła na nią ciężka choroba, szpital, i kto był jej najczulszą opiekunką? Obecna żona jej byłego męża!

Można? Można.

Mam nadzieję, że Pierwszy, czyli Twój tata, też zarzuci kotwicę w ramionach jakiejś kochającej pani i że będą szczęśliwi.

Jest koło mnie sporo bardzo nieeleganckich, wrednych i złych rozstań, ale wiesz, w większości wypadków widzę tam nie żal po umarłej czy zawiedzionej miłości, ale potworną wściekłość z powodu... pieniędzy! Zazwyczaj bowiem rozwiedziona kobieta postanawia faceta (niezależnie od winy czy niewiny) oskubać do cna, puścić w skarpetkach, jak to sobie panie mówią z dumą, bo oto odchodzi doskonale funkcjonujący bankomat! (Wiesz, o kim mówię?) ☺

To doprawdy brzydkie, tym bardziej, że akurat w tych rozwiązkach, które mam na myśli, wina była po obu stronach, a damy uważały się za feministki.

Ech... szkoda gadać. Dlatego cieszy mnie nasz patchwork, ta kolorowa kołderka z pozszywanych naszych rodzin. Świetnie, gdy przyjeżdżacie – moje i jego dzieciaki z uśmiechem, serdecznością i brakiem jakichkolwiek fochów! Cudowna wizyta jego taty, pana dziewięćdziesięcioletniego, uroczego, staroświeckiego, który też mnie zaakceptował jako drugą żonę swojego siwego już syna, bo jak inaczej? Nieżyjąca już mama Siwego też dała mi carte blanche! Miłe! Pamiętasz? Podobało nam się to na amerykańskich filmach – „Ty z drugą żoną, ja z drugim mężem, nasze dzieci z pierwszego związku i te z drugich związków, i babcie, ciocie już uwspólnione…".

Czytałam o takiej rodzinie, w której starej i głuchej babci nikt już nie tłumaczył tych kontredansów w rodzinnych parach, mówiono tylko: „… to jest kuzyn! Tak, ze strony Ziutki!". Babcia kiwała głową i zamykała się na dalsze rewelacje. To nie na jej głowę!

Piękne są stare, zgodne i kochające się pary, ale jak nie dają rady zestarzeć się razem w miłości czy choćby przyjaźni, to, tak sądzę, zamiast fochów i braku akceptacji jakiegoś rodzinnego rozstania, należałoby pomóc stworzyć ów rodzinny patchwork. Jak u nas! O! Przypomniało mi się, jak na ślubie Twojego brata pojawiłam się, za całkowitą zgodą i akceptacją państwa młodych i Twojego ojca, a mojego byłego męża, z Siwym. Znaliście się już wtedy wszyscy, bo gdy się z nim związałam, zarządziliście… spotkanie rodzinne.

„Okazanie" – jak żartował Siwy, „Mamo, musimy sprawdzić, czy się nadaje!" – żartowaliście. Było miło i fajnie. Zaakceptowaliście go jako nowego członka rodziny, a mój Pierwszy (tak się nazywamy po rozwodzie) powiedział, kiwając głową: „... no, bardzo porządny facet!". Pamiętasz?

A najlepsze było na owym weselu! Wiele osób (oprócz naszej rodziny) miało baaaardzo dziwne miny, widząc, jak Siwy i mój były mąż gadają sobie o zdjęciach i pokazują coś w aparacie fotograficznym. Mam to na slajdach!

Rzadkie, ale wiesz, dzięki temu nikt w naszej rodzinie nie cierpi z powodu stresów i wrogości.

A dzisiaj jest już normą, że jesteśmy wszyscy razem w święta, w tym roku zapewne Pierwszy wpadnie z nową panią. Musimy sprawdzić, czy fajna! Mnie to cieszy, że on sobie poukłada życie, że będzie miał kogoś bliskiego i jak to mówiła moja koleżanka: „Ma mu kto podać na stare lata szklankę z zębami".

Dzięki takiemu ustawieniu spraw nasza wnuczka ma... trzech dziadków!

Lubię szczęśliwe... dalsze ciągi, bo przecież nie zakończenia. Jeszcze nie zakończenia!

Uściski, Kochanie. Muszę się zabrać za obiad. Dzisiaj wpadają znajomi (mój brat z nową (!) bratową i synem. Świetna jest! Już mi się podoba, bo serdeczna wesoła, dowcipna i dobra). Będzie dzisiaj po koreańsku, ponieważ to bardzo socjalizujące i świetne jako pomysł na wieloosobowy obiad.

Mama

Grochówka? Znajdź coś uwędzonego, ale żeby to nie była ryba. Jakiś boczek, pancettę, szynkę, kiełbasę. Zrób wywar. Ja robię z włoszczyzną julienne (zdrowiej). Z włoszczyzną wsyp groch – najlepiej w połówkach, zagotuj i odstaw do jutra. Nazajutrz groch gotuje się szybko! Chcesz z ziemniakami? Dodaj krojone w kosteczkę i ugotuj. Z przypraw – pieprz, sól i majeranek.

Uściski!

Mamuś!

O kurczę, trafiłaś w sedno! Byłam ostatnio na ślubie znajomych i jak zawsze nie mogłam wyjść z podziwu nad formułą przysięgi małżeńskiej. Bo ja rozumiem, że można ślubować wierność i uczciwość, rozumiem względnie „że cię nie opuszczę" – to są decyzje co do konkretnych zachowań. Nie ma problemu. Ale jak u licha można komuś ślubować miłość? Jak ja mogę spojrzeć komuś w oczy i przysiąc, że będę odczuwała wobec niego emocję, którą jest kochanie, do końca moich dni? To jest przecież poza moją władzą, poza moją decyzyjnością i ogólnie poza czyjąkolwiek jurysdykcją! Czułabym się jak oszust, składając taką przysięgę. Wiesz, z tego względu zawsze bardzo podobała mi się kwestia wypowiedziana przez Julię Roberts w *Uciekającej pannie młodej*:

„Gwarantuję ci, że czasem będzie ciężko. Gwarantuję, że w którymś momencie jedno z nas lub oboje będzie chciało odejść. Ale gwarantuję też, że jeśli nie poproszę cię, abyś był mój, będę tego żałować do końca życia, bo w głębi serca wiem, że jesteś dla mnie tym jedynym".

O! Tak to ja mogę ślubować! Trafnie, realistycznie i z intencją! Cóż, niestety nie przyjęło się. A szkoda ☺.

Jak sama wiesz, idea małżeństwa nigdy nie spędzała mi snu z powiek – rozumiem i szanuję tych, dla których jest to ukoronowanie związku i element obowiązkowy w scenariuszu życia. Dla mnie nigdy nie był, co doprowadzało do licznych tarć w moich poprzednich związkach. No, ale co ja poradzę – powyższa przysięga nie przeszłaby mi przez usta. Słowo „zawsze" zawsze mnie przerastało (sic!). Jestem głęboko świadoma zmienności człowieka, dlatego nigdy nie odważyłam się na przysięganie komuś do grobowej deski.

Mówią, że musisz trafić na tę właściwą osobę, by to poczuć. Może. Rozwinęłabym to o „we właściwym czasie", bo ważni dla nas ludzie muszą się nam jeszcze napatoczyć w odpowiednim czasie czy momencie, by można było ukuć z tego sukces, jakim jest wielka przyjaźń, owocna spółka czy fantastyczny związek. Uważam się za osobę bardzo szczęśliwą, bo w moim życiu było jak dotąd mnóstwo miłości – zakochana byłam kilka razy, większość z nich nawet z wzajemnością, a jak bez wzajemności, to przynajmniej z fajerwerkami. Z jakiegoś jednak powodu happy endu nie było – dlaczego? Wierzę, że czasem pewne miłości trzeba stracić, odchorować, wypalić lub zmarnować, by tę ostateczną w pełni przyjąć i rozwinąć w coś trwałego. Nie, nie uważam, że pary, które pobrały się w wieku dziewiętnastu lat, nie mają szansy – mają. Jeśli to akurat dla nich odpowiedni czas, a przecież nawet ze statystycznego punktu widzenia musi się to czasem zdarzyć. Mnie stety-niestety to nie spotkało.

Oj, masa jest paskudnych rozstań. W gniewie, w złości, w agresji, braku szacunku, braku empatii – i gdzie się wtedy podziewa ta słynna przysięga? Zgodnie ze swoją ideologią usprawiedliwiam w takich sytuacjach kompletny już nawet brak miłości – wygasło to wygasło, nie reanimuje się trupa. Ale najczęściej rozstający się małżonkowie jakoś zapominają, że ślubowali sobie również uczciwość, a co jest uczciwego w pogrywaniu emocjami dzieci, w przedstawianiu sądowi fałszywych dowodów, naciąganych opinii i podstawionych świadków, byle tylko wywalczyć ukochane „z orzeczeniem" i dostać więcej pieniędzy w comiesięcznych transzach?

Zawiesiłam się na chwilę nad tym paragrafem, po czym dla pewności zguglałam „uczciwość małżeńską":

„Słowo »uczciwość« wywodzi się od słowa »uczcić« i wyraża element czci w odniesieniu do tego co święte. Małżonkowie mają »utrzymywać ciało własne w świętości i we czci« (por. 1 Tes 4, 4), gdyż przez sakrament stają się szczególnymi uczestnikami Bożej miłości i świętości. W swoim pożyciu nie mogą uciekać się do praktyk, które zaprzeczają godności osoby ludzkiej, albowiem »żona nie rozporządza własnym ciałem, lecz jej mąż; podobnie też i mąż nie rozporządza własnym ciałem, ale żona« (1 Kor 7, 4)"[2].

---

2 Źródło cytatu: http://www.przewodnik-katolicki.pl/nr/ ksiadz_odpowiada/slubuje_ci_uczciwosc_malzenska.html.

Więc, niestety, okazuje się, że ślubowana „uczciwość" odnosi się do tematyki alkowy, pożycia i antykoncepcji. Szkoda, że tylko do tego.

Widziałam taki rozwód, Mamuś, z bliska raptem kilka tygodni temu. Ona katoliczka, usta (oraz profil na Facebooku) pełne pięknych frazesów i cytatów z Biblii, o miłości, Jezusie, dobru tego świata, pięknie chwili i cudzie stworzenia. Rozwód zasadniczo rozbija się o „niezgodność charakterów", czyli stare dobre „już cię nie kocham" – nie było tam zdrady, przemocy, oszustwa lub innego naruszenia dóbr osobistych, o którym byłoby komukolwiek wiadomo. W sądzie dziewczę przedstawiło dowód w sprawie w postaci swojego pamiętnika: „Dnia szesnastego lipca dwa tysiące jedenastego roku, około godziny osiemnastej, kiedy wróciłam do domu z pracy, mój małżonek powiedział do mnie – i tu cytuję…".

Wiesz, sierść mi się na karku zjeżyła, bo dla mnie pamiętnik to zapis moich najważniejszych emocji i przeżyć. Zbiór sekretów, które dzielę wyłącznie sama ze sobą i w życiu bym nie pokazała nikomu, choćby mnie żelazkiem przypalali. Często bezładny zapis targających mną uczuć, dający ulgę, pozwalający na wylanie z siebie nadmiaru negatywnej najczęściej energii – z przyczyn znanych tylko poetom i tekściarzom o rzeczach smutnych pisze się lepiej niż o wesołych. Ale to nie był pamiętnik. To był dziennik pokładowy. Szczegółowy zapis zdarzeń z dokładnością co do pory dnia, godziny i okoliczności, okraszony sowicie cytatami (rzekomymi, dodam) z pana małżonka. Oczywiście zabrakło cytatów jej słów, które małżonek z bólem pamięta, nie miał niestety wystarczającego instynktu strategicznego, by je odpowiednio udokumentować. Całość wyglądała tak, jakby ona się do możliwości rozwodu przygotowywała skrupulatnie od pierwszego dnia zawarcia związku.

„I że cię nie opuszczę aż do śmierci". No, chyba że…

A swoją drogą, Mamo, zaczęło mnie ostatnio zastanawiać to, że kiedy jesteś z kimś w związku, to przecież wchodzisz w jakiś sposób w związek z jego rodziną! I chociaż zawsze sobie w rozmowach powtarzałyśmy „no, jego matka tej dziewczyny nie znosi, ale przecież to on się z nią żeni, nie z jego mamą", to jednak ta mama, brat, siostra, syn, córka czy szwagier w związek z danym partnerem bądź partnerką też wchodzą. Sama mówisz, że ważna dla Ciebie była nasza akceptacja Siwego. Ja też odkryłam, że jest mi w związku dużo lepiej i łatwiej, kiedy mi dobrze z nową rodziną. Najbliżsi Dużego zaakceptowali mnie z wielką czułością i sympatią – czuję się u nich jak u własnej rodziny, do mamy mogę bez zająknięcia powiedzieć „Mamo", do jego brata czy siostry dzwonię z najważniejszymi tematami i z głupimi plotkami. I nawet kiedy mamy z Dużym kryzys, kryzysik, kłótnię, słabszy moment albo cichy dzień, to nasze rodzinne zaplecze daje mi masę siły i odwagi, żeby ze wszystkim, co staje nam na drodze, sobie poradzić. Ostatnio szliśmy ulicą i Młodszy powiedział mi: „wiesz, nie mogę się doczekać, aż będziesz moją macochą, tak oficjalnie". Serce mi się stopiło jak masło, bo w tamtym dokładnie momencie dostałam od tego małego ogona glejt, akcept, pieczątkę przydatności. Dla niego jestem już rodziną. Rany, jakie to jednak ważne!

Patchwork czy rozwiązek – grunt, żeby była ta ślubowana miłość i uczciwość. I to miłość nie tylko do partnera, ale do jak największej liczby ludzi, rzeczy i spraw, które związek otaczają. Miłość się rozrasta, promieniuje, poniekąd samonapędza, dlatego warto poszerzać ją w każdą możliwą stronę. W ciągu ostatnich dwóch lat pokochałam dziesięć nowych osób. Niektórych kocham automatycznie, łatwo i z przyjemnością, przy niektórych pojawiały się przeszkody i trudności, niektórych łączy ze mną miłość na razie dość wątła i nieśmiała – koniec końców jednak czuję się otoczona tą patchworkową miłością. I tylko Was mi brakuje do pełni szczęścia. Bo wiem, że gdybyście byli tu, blisko mnie, to byłoby tej miłości jeszcze więcej i wszystko byłoby jeszcze troszkę lepsze i łatwiejsze.

Wspominałam już, że zachciało mi się wielkiego stołu i biesiady dla wszystkich Was, moich ukochanych? Naliczyłam, że byłoby nas mocno ponad dwadzieścioro – potrzebuję naprawdę dużego stołu...

Swoją drogą, Mamuś, jestem kobietą z misją – chcę zrobić pierogi, które zadowolą i Polskę, i Australię. Chcę wykombinować jakieś połączenie smaków, które zadowoli oba rodzaje kubków smakowych.

Podejmiesz rękawicę? To trochę jak w filmie *Apollo 13*, gdzie doszło do awarii, więc technicy naziemni dostali pudło z zestawem dostępnych na pokładzie Apollo przedmiotów i musieli wspólnie wykombinować, jak z ich pomocą naprawić... coś tam. No i tak samo ja Ci spiszę listę dopuszczalnych składników, znaczy smaków tu dostępnych i lubianych, ty mi z tego zrób pieroga, co?

Prosta kuchnia, dobra kuchnia ☺

Kochana Moja!

Wczoraj wieczorem miałam ochotę na frykasik. Ilekroć pomyślę słowo „frykasik", wspominam salwy śmiechu, jakie towarzyszyły nam, gdy zbiorowo czytaliśmy książeczkę Jacka Sawaszkiewicza *Tatko i ja*. Pamiętasz?

A więc miałam ochotę na kolacyjny frykasik, coś wiesz, ekstra. I przypomniałam sobie, że w lodówce stoi sobie malusi słoiczek z rodzajem chorwackiej tapenady z czarną truflą. Pozornie brzmi to, jak Bóg wie jaki wykwint, a wzięło się z biedy. Dawno, dawno temu jadało się prosto, na przykład chleb maczany w oliwie, a tę doprawiano tym, kto tam co miał – czosnkiem, prażonym bakłażanem, oliwkami, kaparami albo grzybem dziwnie pachnącym i nazwano to „tapenada". Siwy nie znosi zapachu czarnej trufli, uważa, że to zapach starych skarpet, dla mnie to coś zupełnie niezwiązanego z dzianiną, zwłaszcza nieświeżą. Trufla ma zapach… charakterystyczny, i już!

Dygresja – w liceum miałam panią od chemii, która oburzała się, gdy mówiliśmy, że coś śmierdzi (a niektóre chemiczne opary potrafią wręcz cuchnąć! Na przykład siarczki, chlorki, azotki, a zwłaszcza merkaptany, wiem, bo Twój ojciec był chemikiem). No dobrze, trufla, czarna rzepa, czosnek i durian, ten owoc azjatycki – mają zapach… oj, bardzo charakterystyczny!

Wieczorem zatem wzięłam dwie kromki pasterskiego chleba z dziurami i twardą skórką (teraz taki piecze się w Biedronce, kupuję ciepły i nawet jeśli tam są polepszacze, to raz na jakiś czas kupuję, bo lubię, i już! Mój osobiście pieczony „po bożemu" aż takich dziur nie ma…). Na talerzyk wylałam pyszną prawdziwą oliwę, łyżeczkę jabłkowego octu, sól i łyżeczkę owej tapenady z trufli i orzeszków piniowych. Kilka maluśkich wióreczków czosnku, szklanka czerwonego wina i… poczułam się jak w niebie! Żadne wymyślności robione w ciekłym azocie czy woreczkach próżniowych tak mnie nie oszołomiły, nie smakowały jak to właśnie. Siwy siedział obok i wcinał chleb z kozim serem. Też o charakterystycznym zapachu ☺.

Jakby ciągnąć tę prostotę, a jednocześnie wykwint, to powiem Ci, że byliśmy wczoraj u mojego brata. Przejazdem, niezapowiedziani, przedpołudniem na kilka chwil, uściskać się i pogadać szybko, co u nich. Paplałam sobie mile z Janką, Siwy z moim bratem krzątającym się w kuchni (jak to mój brat – kucharz nad kucharze) i wnet postawił przede mną talerzyk, a na nim dupkę świeżego chleba posmarowanego smalcem spod pieczonej gęsi. Do tego małą szklaneczkę porto. Co Ci będę mówić! Pychaśne to, zwykłe, a wyklęte przez żywieniowców jako ten okropny i niezdrowy tłuszcz. Uważam, że zemulgowany przez garbniki w winie albo maluśką ziołóweczkę, orzechóweczkę, trojankę litewską czy ziołówkę Tomasza nie zaszkodzi!

Ciekawą opowieścią uraczył mnie swego czasu Tomek, mój narzeczony ze studiów. Jego babunia, ziemianka z Litwy, gdy robiła gęś (babcia bardzo lubiła sama w kuchni zajmować się gotowaniem, mimo posiadania służby), wyjmowała z tuszki nadmiar żółtego tłuszczu i kładła go na deseczkę. Okrywała z lekka siekanym czosnkiem z garścią zielonych liści pietruszki i siekała mezzaluną – włoskim przyrządem do siekania przypominającym kołyskę z dwoma ostrymi ostrzami siekającymi wszystko na drobno. Tak przesiekany tłuszcz z dodatkiem soli babcia ubijała w glinianym garnuszku i stawiała w spiżarence. Bynajmniej nie do podsmażania na nim niczego (no, może jajecznicę można), ale do... smarowania chleba! Podobno pyszność wielka! Mam ochotę spróbować, bo już się u nas pojawiają naprawdę fajne odmiany gęsi – jest od lat owsiana, ale i francuska, i biłgorajska. Jeszcze nie wiem, czym się różnią – sprawdzę! Bo, co prawda, gęś nie ma oszałamiającej ilości mięsa na sobie – tylko uda i piersi, więc jest raczej workiem na jabłka z majerankiem upieczone w środku, ewentualnie futerałem na jakieś zmyślne nadzienie z gęsich wątróbek, kasztanów albo czego tam jeszcze, ale pyszna jest, i kwita! No i ze skóry z jej długiej szyi można zrobić znakomitą rzecz z kuchni żydowskiej – gęsi pipek! Ty wiesz, że gęsi pipek to nazwa albo właśnie skóry gęsiej nadziewanej siekanym (!) mięsem, wątróbką, bułką, cebulą, rodzynkami, pieprzem, czosnkiem i kto tam co jeszcze chce, ale i jest to nazwa potrawy żydowskiej z żołądków drobiowych. Jestem za szyjką. Jadłam taką ostatnio w świetnej restauracyjce na Pomorzu w majątku Poraj, który jest prawie taki sam, jak ów poniemiecki dom na Mazurach, jaki pamiętasz... Wspaniale odrestaurowany i zamieniony w miły hotelik położony w starym parku. W kuchni niejaki pan Leszek, gotujący z sercem, a w karcie ów pipek! Muszę i ja go zrobić – obiecuję to sobie solennie. Na Twój przyjazd może?

Ty też lubisz rzeczy proste. Wiem, jak bardzo Ty i Stach lubicie żydowski kawior – przesiekaną duszoną wątróbkę drobiową z jajkiem na twardo, z dodatkiem ciutki czosnku, ewentualnie cukrowej cebuli, a wszystko związane gęsim smalcem. Znikało z miseczki na jedno posiedzenie, a niby nielubiana wątróbka!

A pamiętasz może, jak przyjechała do nas ciotka mojej mamy z Buenos Aires? Dama ponad osiemdziesięcioletnia, przywiozła w plecaku prochy wujka do Polski. Całą mszę stała obok trumny, a na prośbę, by usiadła, odpowiedziała: „Dziecko drogie! Myśmy byli harcerzami, ja muszę stać. To jest warta!".

Popłakałyśmy się.

No więc ciocia jadła u nas na śniadanie zwykłą pajdę chleba z masłem i wielkim plastrem pomidora, ignorując szynkę i sery. „Ja jadam bardzo zwyczajnie" powiedziała i jęła nam opowiadać, co na przykład jada na śniadanie u siebie – codziennie. Otóż w jej ogrodzie w Buenos, na samym końcu, rośnie wielkie, ogromne drzewo awokadowe. Co rano ona sobie z trawy wybiera dojrzały, miękki owoc, zabiera do kuchni, rozkraja, wyjmuje pestkę, soli z lekka i wyjada łyżeczką, zagryzając jakąś bułeczką z pomidorem. Pochwaliłam się lej, że ja robię wykwint z miąższu awokado. Wykwint, bo u nas to rarytas, a nie drzewko z ogrodu... Siekam miąższ z surowym, zmielonym łososiem, dodaję koper, czosnek i cebulkę. Tym nadziewam połówki skórki awokado pozostałe po delikatnym wyjęciu miąższu. Też to lubiliście, a ja to nazywam miotłą cholesterolową, bo i awokado, i surowy łosoś to substancje dobroczynne w tym aspekcie! Samo zdrowie. Ciocia była zachwycona, gdy mama na obiad nakryła stół na tarasie, pod parasolem (pamiętam, że był piękny sierpień!), i podała, na wyraźną prośbę cioci, ziemniaki ze skwarkami i koperkiem oraz po miseczce kefiru (bo zsiadłego mleka od krowy nie miałyśmy). Ciocia aż przymykała oczy z zachwytu, mówiąc: „Marynko, to uczta! Wielka uczta! My w Buenos Aires tak nie jadaliśmy, a przecież ziemniaki mamy. To takie pyszne! Jakoś tak... nie wiem czemu, a ty mnie tak ucieszyłaś! Pyszne!".

I ja tak uważam, że nasza polska biedna potrawa – owe cudowne ziemniaki z koprem i zsiadłym mlekiem –

to pyszność wielka i wspaniała na upalne, letnie dni. Jak pamiętasz, babcia Marynka jadała ziemniaki ze zsiadłym mlekiem głównie latem, a w pozostałe pory roku najchętniej ze śledziem w oleju. Mogła jeść to na okrągło. Często mnie irytowała, gdy pytałam podstępnie: „Mamo, zrobię dzisiaj roladę wołową albo prawdziwy węgierski bogracz! Czy też może pieczonego kurczaka z chrupiąca skórką?". Mama uśmiechała się i mówiła to swoje „wiesz, że ja ziemniaki...". NICZYM jej nie można było ucieszyć, podekscytować, zachwycić kulinarnie. A wiesz, jak człowiek gotujący lubi, gdy zjadacz domowy jęknie: „Aaaaaaaale... Jej?! Co to jest to takie tu? Pychaśne!" (pomijając Wasze delikatne: „Mamo, to jest pyszne, ale nie rób tego więcej").

No więc moja mama, a Twoja babcia, uwielbiała porządne, kruche, mączne ziemniaki. Nawet tylko z masłem. A do tego była drobniutka, mała i mogła się nimi objadać do bólu! I tak ciekawostka – brała leki na nadciśnienie, ale nie musiała suplementować potasu – miała wspaniałe wyniki, bo jadła ziemniaki!

Dzisiaj mój znajomy chwalił się, że posiadł umiejętność zwijania maków i ogólnie robi doskonałe sushi, ja w odpowiedzi wkleiłam swoja chwalbę – tagine z jagnięciny w świetnym naczyniu z polskiej garncarni, kupionym latem na Jarmarku Dominikańskim.

I tak sobie myślałam o taginie, o tym, jak ja już się poukładałam z marokańskimi przyprawami, jak mi wyszedł świetny z kaczki, z gęsi, z kaszą bulgur i rodzynkami, aż przypomniałam sobie dawne czasy, kiedy to byliście mali, a mi nie w głowie były kuchnie świata. Z lekka podmęczona tygodniem czekałam na niedzielę i wówczas Wasz tatko pytał mnie wesoło:

– Chce ci się pichcić? Zmywać?

– Nieeee… – odpowiadałam, choć przecież zazwyczaj, gdy był w domu, to on zmywał.

– No, to jedziemy do baru!

Nie było nas stać na restauracje, choć może nawet i byłoby, ale w barze naszym ukochanym, w zwykłym mleczaku, mieliśmy to, co każde z nas lubiło baaaaardzo! Stasiek był pierogowy, więc zamawiał sobie pierogi. Ty, ledwo stojąc na paluszkach koło lady, wołałaś z pozycji swoich pięciu lat: „Ja poplosę śląskie z piecalkami! Nolmalną polcję!" (bo bywało, że panie pytały, czy dać pół). Potem ja zamawiałam ogórkową i pierogi z kapustą, ale, czekając na swoje, lubiłam patrzeć na Waszego tatę, który aż oczy mrużył z frajdy, zamawiając: „To ja poproszę naleśniki z serem, dwa…". Pani zaraz nakładała na patelnię naleśniki do podgrzania i pytała, co jeszcze, a on mówił głosem rozmarzonym: „i… ryż ze śmietaną i cukrem…". Pani szast-prast nakładała z wielkiej miednicy ryż, chlustała śmietaną z wiadra i sypała cukru. Bywał i cynamon! A on, bywało, dodawał jeszcze: „… i leniwe!". Pani szybko składała naleśniki na talerzu, wkładała porcję leniwych na sitku do wrzątku i ponawiała chlust śmietany, łyżkę masła i cukru na leniwe.

Siadaliśmy przy stoliku i aż miło było patrzeć, jak zmiataliśmy nasze ukochanieństwa! Tak, ja z Wami nie miałam problemu w kuchni przy stole. Może dlatego, że gdy byłam mamą na pełen etat, bawiło mnie robienie Wam do jedzenia tego, co lubicie. Sama wszak jestem smakoszką i wiem, że pewnych rzeczy się po prostu nie lubi, a inne uwielbia! Tak na przykład nie zostaliście nauczeni fast foodu, bo nie prowadzałam Was do McDonaldów czy innych tam.

Od frytek woleliście pieczone w piekarniku połówki ziemniaków ze skórką, z odrobiną kminku. Mogło nic więcej na obiad nie być. A pamiętasz, jak szokowaliście ludzi w autobusie, gdy pytałam Was w drodze z przedszkola: „Dzieciaki, nie mam obiadu w domu. Co robimy na szybko?", a Stasiek albo Ty z mety mówiliście: „Mamo, zrób szpinak i płaskie jajko!" lub: „Ugotuj ziemniaki i utłucz ze śmietaną!". Czy jakieś happy meal się z tym równa?

Bywało, że koleżanki mnie ofukiwały, że Was rozpieszczam, bo na pytanie, co dzisiaj ugotowałam, odpowiadałam czasem: „Dla Basi ogórkową, dla Stasia pomidorową". No, bo przecież następnego dnia się wymienialiście. A już zdumienie wykwitało na twarzach koleżanek, gdy mówiłam, że dla Ciebie mam marchewkę po babcinemu, z masełkiem, a dla Stasia buraczki, bo on marchewki nie lubi. Dziwiło mnie gadanie, że Was rozpuszczam. Jedzeniem?! U nas i tak się niczego nie wyrzucało, bo jakby co – tata dojadł. Bywały też eksperymenty, zrobiłam jakiś smakołyk, nie pamiętam jaki, a Wy, moje grzeczne Anioły, wtedy właśnie powiedzieliście z kwaśnym uśmiechem: „Mamo… to było pyszne! Ale nie rób tego więcej!".

Dzisiaj każde z Was ma swoje własne imperium kuchenne, własne przepisy i smaki. Ty daleko – zapewne łapiesz tam różności, o których mało słyszałam. Stasiek-padre jak gotuje dla Izy i Matysi, to też ma już swoje receptury. I wiesz… ogromnie mi miło, jak któreś z was zadzwoni z pytaniem „Mamo, a te zrazy, wiesz, co to babcia robiła, »nelsońskie«, tak? To jak się robi?". Póki jestem – odpowiem! Bo jak już się przeniosę do lepszego świata (tylko do takiego, w którym będę miała piękna kuchnię i wszelkie produkty dostępne od ręki), to żeby nie było jak z kopytkami,

Maruszką, prababcią Stefą i stryjenką Zosią! Pamiętasz? Stryjenki zabrakło, tajemnicę zabrała ze sobą, a Zosia, moja stryjenka, i jej synowa Maruszka zamarzyły o babcinych kopytkach. Jakie ona robiła te kopytka! Jak mój tatko – ELASTYCZNE. Więc którejś soboty Zośka i Maruszka ugotowały ziemniaki, stanęły przy stolnicy z mąką i zakasanymi rękawami i zaczęły robić próby proporcji. Ile ziemniaków, ile mąki, ile krochmalu… I doszły!

Przy okazji tych kopytek przypominałam sobie, jak gotowałyśmy nasze ukochane „żelazne kluski". Nigdy nie zapomnę, jak kupiłyśmy dziwne ziemniaki, które po starciu, dodaniu jajka, odrobiny mąki i krochmalu, tak czy siak, rozpadły się we wrzątku w burą breję. Załamałam ręce, a Ty podałaś mi gęste sitko i powiedziałaś „odcedzaj!". Odcedziłam na dwa talerze, polałam skwareczkami i zasiadłyśmy – jedyne wielbicielki owych klusek. Stasiek wszedł do kuchni, popatrzył nam w owe talerze i zapytał: „Cement jecie?!".

Jak jem teraz? Różnie – wykwintnie i zwyczajnie (bo jedno nie wyklucza drugiego). Zdrowo – to pewne. Zresztą sprawdzamy jak to z nami jest. Jak na razie obydwoje, ja i Siwy, jesteśmy zdrowi. Cukier badamy sobie od czasu do czasu – jest w normie, ciśnienie też, odkąd odstawiliśmy trzy czwarte soli, wątroba i nerki w porządku, to co my mamy sobie żałować? Raz na jakiś czas zjadamy jakiś niemodny frykasik – pyszny smalec z kaczki, pod którym spoczywa w miseczce rodzaj terriny z kaczego mięsa, wątróbki, majeranku i pieprzu, przykryta galaretką z musu jabłkowego, a to zakonserwowane kaczym smalcem. To lepsze od podobnych z wielkiego, eleganckiego (i drogiego) marketu. Do tego australijskie albo afrykańskie wino, zwykłe i dość tanie, aromatyczne, o głębokiej barwie i wyczuwalnych taninach, świetne do tłustych potraw.

Wino, jakie mi zrobił Siwy, z drylowanych wiśni, półwytrawne (a dzisiaj już właściwie wytrawne), o głębokim, wiśniowym aromacie, traktuję jak rzadką małmazję! Nie postoi długo, więc wypijam je sobie wieczorem, szklaneczkę w nagrodę za dobrze spędzony dzień! Jabłkowe i miodowe napoje też udają mu się świetnie! W upały pijemy piwo, wodę lekko gazowaną albo sangrię z owocami.

Co tam Australia serwuje zwykłego? Jakie tam jadasz frykasiki?

Uściski, Kochanie, idę, póki ładna pogoda, póki jeszcze ciepło, zasadzić kilka wiśniowych drzew i śliwkę węgierkę, a po południu zadzwonię do pani Zosi i zapytam o gęś.

Buziak – Mama

Mamuś,

ależ mi utrafiłaś w temat, bo właśnie ostatnio o tym myślałam! Proste jedzonka, biedne, kombinowane z niczego i szybkie w przygotowaniu zawsze robią na świecie największą karierę – pizza to przecież mączno-
-wodny podpłomyk z siekanymi resztkami wczoraj-szej kolacji, podobnie jak większość znienawidzonych przeze mnie, niestety, „zapiekanek" (nie wiem czemu nie lubię, ale nie lubię, i kropka). Sushi to ryba zama-rynowana z ryżem w beczce, żeby na całą zimę star-czyło, wszelkiej narodowości pierogi, paszteciki czy inne zawijasy to też przecież zwykle metoda na po-nowne wykorzystanie przemielonych i obgotowanych już wcześniej produktów mięsno-warzywnych. Trze-cie życie kurczaka, jak to się kiedyś mawiało o serwo-wanych w supermarketach pieczonych półtuszkach, czy... O! Sałatka cesarska!

Ale to idzie! A dlaczego? Otóż mam teorię ☺.

Widzisz, Mamuś, frykasik z definicji ma to do sie-bie, że zdarza się rzadko, a jego porcja powinna być niezbyt obfita, co większość normalnych, zdrowych konsumentów o podniebieniu nieprzystosowanym do pięciogwiazdowego wyżywienia doprowadza zwykle do irytacji, bo… pozostawia niedosyt lub rozczarowanie. Zjesz trzy blinki z kawiorem, dwie ostrygi albo zuchelek chleba z oliwą truflową i tylko podrażnisz kubki smakowe, które wrzeszczą „jeeeeeeeeeeeśśś-śććććććććććć!!!". Możesz też zjeść całą michę kawioru, tacę ostryg i wymaczać bagietkę w połowie butelki tejże oliwy, a potem walczyć z nudnościami, bo takie frykasy do „najadania się" po prostu się nie nadają. Do luftu, proszę ja Ciebie, z takim jedzeniem. Rzeczy proste za to można spożywać w ilości sowitej, pozostawiając żołądek w błogim i jakże satysfakcjonującym stanie pełnego zaspokojenia – stąd też takie ciepłe wspomnienia ziemniaków ze śledziem, klusek z serem, krokietów z barszczem czy świątecznego bigosu. To jest trochę jak z kinematografią – jedni lubią filmy ambitne, trudne, takie, które ranią duszę i wyzwalają emocje, takie, które nie oferują jednoznacznego zakończenia, ale zmuszają do przemyśleń. Inni wolą produkcje lekkie, łatwe i przyjemne, które poprawiają nastrój, umilają wieczór i nie pozostawiają na duszy żadnego nieprzyjemnego posmaku. Co kto lubi! Ja lubię pierogi.

Powiem Ci, że jeden z najbardziej odczuwalnych braków, jedna z najgorszych dziur w życiorysie, jedna z najbardziej odczuwalnych tęsknot tu, na wygnaniu... To bar mleczny. Pocieszam się, że w Polsce też już zamierają (choć marne to pocieszenie), ale brak mi tego strasznie. Nie wiem, na czym polegał ich urok – może na tym, że wszystko było domowe, bez benzoesanu i „ziarenek smaku" czy choćby vegety. Może to było to, co nazywałaś „magią wielkiego gara" – porcja dwustu kopytek zawsze wyjdzie inaczej niż dwudziestu, a dziesięć litrów ogórkowej to jednak co innego niż półtora litra. Może to nostalgia... Nie wiem, ale wiem, że mleczaki do dziś uwielbiam i będę rzewnie i nieco histerycznie opłakiwać ich schyłek.

Pamiętam, jak odkryłam mleczaka w wersji modern w Poznaniu – odnowiony, odświeżony – choć wciąż w klimacie. Tablica z plastikowymi literkami chyba nawet była. Przy stolikach pełny przekrój społeczeństwa – pani z dwójką dzieci i z kuponem żywieniowym z Funduszu Pomocy Rodzinie, bezzębny dziadek z zaczeską, dwa młode garnitury z jakiegoś pobliskiego biura, kilku studentów, kilku turystów. „Everybody mleczak" – powiedziałam wtedy z radością. Śląskie z pieczarkami są do dziś moim numerem jeden, chyba że trafi się rarytas, czyli kotlet serowy. Oooo, Mamuś. Dwucentymetrowy plastruch żółtego sera, w panierce, z patelni. Cholesterol skoczył mi pewnie dwukrotnie ponad normę, ale co mnie to interesuje. „Widziałaś kiedyś cholesterol?" – tak zawsze mawiał tatek. Kotlet serowy, proszę ja Ciebie, to jest maestria wyższej klasy – wynalazek bezbłędnie genialny, bo przecież każdy wie, że wszystko smakuje lepiej ze stopionym serem. A to jest sto procent czystego, stopionego sera! No mistrz!

Dziś są fast foody, są sushi bary, są chińczyki, meksykańczyki i francuzy. Wybór jest olbrzymi. Restauracje z kuchnią polską podniosły ceny do absurdalnych poziomów, a „żywienie" zmieniły w „doświadczenie kulinarne". I nie ma w tym nic złego, tyle że żywienie jest nadal potrzebne, a niektórzy wciąż odnajdują w nim spore dozy przyjemności. Mimo to – umiera. Szkoda.

Staram się tak czasem gotować. Jak dopadnę gdzieś już pierogi (sama nie ulepię, nie da się – nie tłumacz mi znów, jak się je robi, mówię Ci, że się nie da!), to muszę do nich kupić opakowanie śmietany. I zjeść całe. Ze skwarkami. I z cebulką. Sos pieczarkowy robię regularnie – oczywiście zaciągnięty krochmalem, żeby był glutowaty i spoisty. Placki ziemniaczane zaczęłam smażyć i naleśniki – w naleśnikach doszłam już nawet do pewnego rodzaju maestrii, choć śmieszy mnie niezmiennie, że pierwszy naleśnik zawsze,

ZAWSZE musi iść do kosza. Nie wyjdzie. No nigdy nie wyjdzie. Jakaś klątwa. I naleśniki przerzucam za pomocą fachowego podrzutu z wyślizgiem – nauczyłam się tego od babci i wciąż szpanuję tym przed znajomymi. A wiesz, przypomniało mi się właśnie, że mój znajomy Filip smażył naleśniki na słoninie – nabijał ją na widelec, maział całą patelnię i dopiero lał ciasto. Genialne w swej prostocie – ja zawsze się męczyłam, miksując olej z ciastem, a przecież w ten sposób jest mniej tłusto, do tego na słoninie można smażyć w wyższej temperaturze! Próbowałaś?

Zastanawiam się czasem, czy tu w ogóle mają jakiś odpowiednik baru mlecznego, ale chyba nie. Inna historia, inna kultura, inny klimat. Inne podniebienie i kubki smakowe. Tu nie jada się tak mączyście, bo co dzień jest dostęp do warzyw, owoców, a poza zwykłymi ziemniakami do wyboru są jeszcze ziemniaki słodkie w dwóch czy trzech wariantach. Nie jada się tu zbytnio zup, bo na zupy jest za gorąco. Nie jada się mielonych, dewolajów, gulaszy ani panierowanych sznycli – nie jestem pewna czemu. Tu mięso wrzuca się takie, jakie jest, na ruszt/grill/barbecue i się grilluje/smaży, aż się zetnie. I tyle. Zero fantazji, zero finezji. A wiesz, niektórym się marzy, żeby tak jeść codziennie stek z polędwicy i krewetki... No więc niniejszym informuję, że po roku takiego żywienia marzenia o zrazie, schabowym oraz wątróbce z cebulką spędzają sen z powiek. Przysięgam! Tak samo brakuje mi, Mamuś, bazarków, na przykład tego pod Halą Mirowską, gdzie razem z babcią miałyśmy całe grono zaufanych: naszą panią do spraw włoszczyzny, naszą panią do spraw wołowego, panią od drobiu, panią od ciastek, pana od śledzi i oczywiście pana od jajek. Żeby duże były i z wolnego wybiegu. I pamiętasz, Mamuś, że babcia to wzrok straciła już prawie całkiem dobre dziesięć lat temu. Jednak kiedy szłyśmy na zakupy i babcia szykowała pieniądze, zwykle brała ze sobą „sto, no dobrze, sto dziesięć złotych". I raz, RAZ tylko przekroczyła limit i pożyczyła ode mnie jakieś trzydzieści groszy. Procedura wyglądała niesamowicie – szłyśmy z babcią przez ten bazarek. Babcia z wprawą dorożkarskiego konia manewrowała od budki do budki, trzymając się wtłoczonej w pamięć trasy spojonej jednolicie z listą zakupów.

„Uda kurze z kilogram, jedną pierś, a potem pójdziemy po szponder... a co takie tłuste te uda, proszę pani?". Trasa zawsze ta sama: włoszczyzna, owoce, drób, wołowe, śledzie, ciastka, kawa, jajka, wędlina, do samochodu. Przy każdej transakcji ślepawa babcia przekazywała mi banknoty, pytając: „ile tam, Basia, wyszło?", a ja babci, która przecież i słuch miała już na wyczerpaniu, krzyczałam: „SIEDEM DWA-DZIEŚCIA!". Babcia mamrotała coś chwilę pod nosem, zasępiała się, po czym odpowiadała: „Dobrze, to baleronu tylko piętnaście deka weźmiemy". Skąd wiedziała, że jej nie starczy na dwadzieścia? Nie wiem do dziś. Czasem myślę, że babcia miała arkusz kalkulacyjny w głowie. Takiego biologicznie wmontowanego Excela. W końcu przez lata była księgową. Ciekawe, czy i ja kiedyś taka będę…

I widzisz, Mamuś, w Tesco czy Biedronce połowa z tych jej zakupów była tańszych lub na promocji – i babcia tam czasem pod przymusem jeździła, bo nie chciała mi ani tacie zawracać głowy dalszymi wycieczkami. Ale kiedy czasem zarzucałam haczyk „Babcia, chodź pod halę, bo muszę kupić jajek dobrych", to aż jej się przyblakłe oczy rozświetlały od środka i odpowiadała „a, dobrze, to ja też może coś tam kupię…". Ubierała się szybciutko, z entuzjazmem, i jechałyśmy.

Jest jakiś urok w tym, że zakupiony śledź nie pochodzi z plastikowej tacki, tylko zostaje przez pana wyłowiony z beczki, z pomocą drewnianych szczypiec albo widelcopodobnego czegoś. Że pan powie „dziś to może nie szponder, tylko giczkę bym polecił…", że ktoś szepnie „pani nie bierze u nich kapusty, bo kwasem kiszą". Że ważą wszystko i podliczają, a nie skanują kodów kreskowych. Że jeszcze czasem jak jakaś pani cię pamięta, to spyta „co słychać, pani Janeczko?". Zakupy analogowe. Albo może retro. Też odchodzą już powoli do przeszłości, a moje dzieci nie będą miały pojęcia, o czym mówię, tylko będą klikały w „przejdź do płatności" po zatwierdzeniu zamówienia. Ciekawe, co te moje dzieci będą wspominać w moim wieku. Ha!

W tym moim obecnym dzikim kraju, Mamuś, objadłam się już krewetek. Przekonałam się, żeby nie jeść więcej niż trzy ostrygi naraz. Spełniłam marzenie z dzieciństwa i mam arbuza w lodówce przez bite dwanaście miesięcy – no frykas na frykasie, farciarze jedni, ci tutejsi! Ale podglądam ich, Mamuś, z każdej strony i na rzeczach prostych też już ich przyłapałam. Otóż wyobraź sobie, że jednym z narodowych i uwielbianych tu deserów są skórki i zrzynki starego chleba zapiekane w piekarniku z masłem i rodzynkami. W wersji „na bogato" dodają chyba jeszcze słodkiej śmietanki czy budyniu waniliowego. Proste? Proste!

Najczęstszy „domowy fast food" – ciastko mięsne, czyli znany i lubiany pasztecik. Tyle że tu formują to w kształt babeczki, a mięsa nie mielą, tylko siekają. Najpopularniejsze ciastko? Owsiane. Bez dodatków. Trociny z cukrem, mówię Ci ☺.

A czym ja sobie sprawiam kulinarną radość? Ostatnio kupowanymi jako mrożonka od znajomej pani Eli ruskimi. Smażę do tego absurdalną ilość cebulki z boczkiem (bo jak byłam dzieckiem, to zasmażka przy pierogach była zawsze jednak w kategorii półfrykasik i zostawiała niedosyt...), dowalam pół opakowania kwaśnej śmietany i zapycham się bezlitośnie, ale ze szczęściem. Tak, wiem, potem słychać, jak mi tyłek rośnie, ale są przecież większe dramaty. Czasem też kupuję sobie paczkę czosnkowych oliwek z chilli albo z fetą i zagryzam przed telewizorem – choć z oliwkami, jak z ostrygą, trzeba się hamować, bo zemdli...

Wiesz co, Mamuś... tak sobie myślę, że ideologia rzeczy prostych przekładać się może na wiele dziedzin życia. Na przykład na czas wolny – można wyszukać jakąś naprawdę dobrą sztukę i iść do teatru. Można namalować obraz albo poczytać Prousta. Ale można też wsiąść w samochód i zobaczyć, co się stanie, jak skręcimy w tę uliczkę, którą zawsze mijamy w drodze z pracy. Albo sprawdzić, co oferuje całkiem niezauważane dotąd muzeum tramwajów. Albo można rozwiązywać sudoku na czas – nasze ostatnie hobby. Duży kupił tak zwanego killera, czyli sudoku, w którym nie są podane żadne cyfry, tylko sumy w poszczególnych grupkach. Czad! To zupełnie proste rzeczy, a zawsze w ten sposób najlepiej spędzamy czas i nigdy nie mamy uczucia niedosytu ani rozczarowania. Bo jeśli uliczka jest nudna i betonowa, to jedziemy dalej, aż znajdziemy inny skręt. Muzeum jest małe i liche, ale dobre lody mają tuż obok. Z automatu, kręcone, takie z polewą. A jak już się nam mózgi od cyferek przegrzeją, to czekają na nas cztery odcinki „naszych" seriali, które śledzimy z poświęceniem godnym lepszej sprawy.

Pamiętam, jak na jednej z pierwszych randek, jeszcze w okresie toczącej się obopólnej akcji PR-owej „patrz jaki/a jestem fajny/a", Duży zabrał mnie na śniadanie. Zatrzymaliśmy się pod drzwiami lokalnej restauracji – marmurowe schodki, kelnerki w wykrochmalonych fartuchach, woda w rżniętych kieliszkach. Spojrzałam na niego przepraszająco i powiedziałam: „Wiesz... ja się nie czuję dobrze w takich miejscach. Czy możemy iść gdzieś, gdzie podają jajecznicę i bekon?". On spojrzał na mnie z czujnością, która szybko przerodziła się w dojmującą, olbrzymią ulgę i odparł „O rany, całe szczęście! Nie znoszę tej knajpy" i pojechaliśmy na jajka z bekonem.

Prostak ze mnie, Mamuś, i rzeczy proste lubię. Proste jedzenie, proste filmy, proste książki, proste rozrywki i proste słowa. Pracę też mam prostą i doskonale się w niej czuję. Znajomy powiedział mi kiedyś: „No, Baśka, przecież stać cię na więcej". Odparłam „wiesz, mogę być albo dobra i szczęśliwa z tacą w ręku, albo przeciętna i sfrustrowana za biurkiem". Wolę się najeść pizzą niż rozdrażnić absurdalnie drogim parfait z kaczki. Wolę obejrzeć sobie *Smażone zielone pomidory*, niż pół nocy zastanawiać się, co chciał przekazać światu von Trier, kręcąc *Idiotów* (do dziś nie wiem i nieco mnie to męczy...).

Wydaje mi się, że kolega do dziś się ze mną nie zgadza, ale co ja poradzę. Co kto lubi ☺.

Przyjaciele, czyli mizantropka z wyboru

Kochana Moja!

Obracam w palcach moją nową ksywkę – Mizantropka. Sama ją sobie dałam, gdy zdałam sobie sprawę z tego, jaka jestem w gruncie rzeczy mało wyrywna do ludzi, do tak zwanych przyjaciół i znajomych. Nie oznacza to, że nie mam znajomych i przyjaciół, ale z wiekiem przewartościowałam wiele pojęć. W tym „znajomi" i „przyjaciele". Przeczytałam gdzieś, że **przyjaźnie zawiera się w dzieciństwie, później to już tylko znajomości**. Pomyślałam: „Bzdura!". To tylko chwytliwa złota myśl, a ja na owe mam uczulenie, jak wiesz.

No, choćby Kubuś, mój przyjaciel z piaskownicy. Nawet małżeństwo mi proponował, gdy mieliśmy po pięć lat, i co? Szkoła, nasze dorastanie skutecznie nas rozdzieliły. Kuba ożywił się, gdy przeczytał *Fikołki na trzepaku* i powiedział mi (fajnie doprawdy!) „Małgosiu, jesteś moja pamięcią zewnętrzną!". I nie ma między nami żadnej więzi, bo Kuba tak jak ja jest Mizantropem. Kocha swój mały świat zbudowany misternie z Dorotą. I to jest świetne!

Moje liceum. Od pierwszego dnia siedziałam z Jolą. I tak przesiedziałyśmy cztery lata, dowiadując się o sobie wszystkiego – wspólna ławka była jak konfesjonał działający w dwie strony. Byłyśmy blisko, ale po maturze rozeszły się nasze drogi na amen! Czy to źle? Nie, tak się stało i już. Z Hanką ze studiów podobnie – nie chodzimy razem na zakupy ani do ginekologa. Czasem piszemy coś o sobie – jedna drugiej, ale w gorącej przyjaźni nie tkwimy.

Jest taka piosenka:

Gdzie jesteście, przyjaciele moi,
odpłynęli w sinej mgle,
kogo to obchodzi, kiedy boli,
tylko ciebie, kiedy idzie źle.

I tak na koniec, wysoki sądzie,
zanim wszystkich pożegnam,
duszą i ciałem kiedyś kochałem,
dziś bez tego umieram.

Inni grają moim losem,
ja milczę jak pies,
jeszcze chwila, jeszcze trochę
i zapomnisz mnie.

Smutem ciągnie Maleńczuk, co? Bo tak myślę, że te nasze przyjaźnie z dzieciństwa rzadko żyją poza szkołą czy podwórkiem. Mówiłam Ci, jak spotkałam Gosię? Moja naj- najlepsza przyjaciółka z podwórka. Jak ja ją kochałam! Rzuciłam się jej w ramiona ze łzami w oczach, wyściskałam, bo nie widziałyśmy się od setek lat! Od jej wyprowadzki z… naszego podwórka. Miałam spotkanie z czytelnikami, wcisnęłam jej wizytówkę z błagalnym „Zadzwoń! Koniecznie!". Czekałam jak kania dżdżu!

Nie zadzwoniła.

Słynna Nasza Klasa chyba też łączyła ludzi na krótko. Na wielkie „Och! To Ty?! To My?! Ojejka! Spotkajmy się" i… dalej różnie to było. Nasza Klasa umarła. Te spotkania po latach były zazwyczaj jak spotkania na przystanku – krótka frajda, a potem niezręczne milczenie zagadywane wzajemnym zanudzaniem się „co u ciebie" – choć wcale nas to nie interesuje.

Jak najbardziej życie wskazuje na to, że dzisiaj jestem w stanie zaprzyjaźnić się, a przyjaźń z dzieciństwa zgasła. No i nie mam swojego „babskiego kręgu" – ku zdziwieniu pewnej znajomej, która mnie za to skarciła, mówiąc mi, że to nienormalne. Bo każda z nas MUSI taki mieć! „Bo tylko kobiecy krąg da mi wszystko, czego potrzebuję – wsparcie, miłość etc.". Popatrzyłam, pokiwałam głową i nie ciągnęłam tematu, bo pani była z tych, z którymi się nie dyskutuje. Ona wie lepiej!

Tak więc wyznaję, Wysoki Sądzie, że... nie mam swojego babskiego kręgu.

Nigdy nie miałam, nawet nie czułam potrzeby, choć bywało, że brakowało mi kogoś, kto by mnie przytulił, kiedy życie mi się sypało jak szkło z wybitej szyby. Z brzękiem i kaleczeniem. Może powinnam była iść do jakiegoś kręgu – odpłakać to i odkrzyczeć? Zająć sobą uwagę moich (nieistniejących) przyjaciółek? Może... Ale ja tak nie umiałam i nie umiem. Za to jak poczułam, że tonę, że życie nieznośnie ciągnie mnie w dół, a ja nie umiem pływać... poszłam do specjalisty! Pamiętam moje zdziwienie – gabinet neuropsychiatry, starszy pan, na ścianie Jan Paweł II i krucyfiks, ale na odwrót było już za późno. Nie mój klimat! Ja tu tylko po jakieś psychotropy, żeby móc oddychać, a nie modlitwy! Pan najspokojniej zrobił mi lekarski wywiad, stwierdził obecność depresji i zaproponował kapok. Koło ratunkowe – słynny prozac, mówiąc jednocześnie, że to jest chwilowy kapok, nie da utonąć, z lekka wyciągnie mi głowę ponad wodę, żebym nie utonęła, ale… ALE muszę leczyć się w sposób rzeczywisty, bo farmacja nie poradzi na problem, a tylko wyciszy, chwilowo poprawi kondycję psychiczną.

– To co ja mam robić? – spytałam.

– Skorzystać z pomocy psychologa-terapeuty.

– Nie mam, nie jestem Amerykanką na smyczy uwiązaną do kozetki!

– Nie chodzi o wieloletnie uwiązanie, ale o wyciśnięcie wrzodu i oczyszczenie rany – odpowiedział beznamiętnie. Logicznie.

Nie szukałam. Na „odczep się" zapukałam do sąsiednich drzwi z napisem:

„O.B. – psychoterapeuta". Pan z siwymi skroniami umówił mnie i tak stałam się jego pacjentką, a on moim zastępczym i o wiele lepszym „babskim kręgiem". Lepszym, bo pozbawionym kobiecych emocji, a tych nie potrzebowałam, miałam nadmiar swoich. Lubiłam chłód i profesjonalizm pana magistra doktora. Nie komentował, zadawał mi pytania, dzięki którym kręciłam się tak długo wokół problemu, aż wreszcie sama widziałam wyjście z danej sytuacji. Moje własne! Nie podpowiadane przez przyjaciółki, które jednak bywa, że wręcz narzucają swoje rozwiązania. Znam związek, który się właśnie przez takie przyjaciółeczki rozsypał.

Tak więc łykałam prozac i kręciłam się wokół swoich problemów u pana terapeuty, myśląc wtedy, że ta cała terapia... Aż któregoś dnia, idąc na fotel, zdałam sobie sprawę, że jestem lżejsza! Ciężar zniknął, nozdrzy już nie zalewa woda, kapok niepotrzebny, oddycham, a nawet uśmiecham się, bo pewne rzeczy już w sobie urobiłam, poukładałam, zrozumiałam... Dwa tygodnie później pan podał mi rękę: „Sądzę, że skończymy już! Jest pani w dobrej formie i da sobie pani radę sama! Jakby co – telefon pani zna! Szczęścia życzę". Wtedy to był mój powiernik, najlepszy, jaki mógł być, bo profesjonalista.

Wbrew pierwszym wrażeniom (byłam sceptyczna), te spotkania nauczyły mnie bardzo wiele – jak sobie radzić z problemem, jakie pytania samej sobie zadawać, jak oddzielać emocje od faktów, a w razie czego przecież miałam w biurku telefon do pana doktora B.

A dzisiaj?

Tym bardziej kobiecy krąg nie jest mi potrzebny, od kiedy jestem z Siwym.

Jesteśmy dojrzałymi ludźmi, spotkaliśmy się i zdecydowaliśmy na bycie ze sobą, będąc „po przejściach", z doświadczeniami i życiową mądrością. Nikt na nas nie wymuszał żadnymi przysięgami bycia razem – klei nas coś niewidzialnego, ale nazywalnego – mądra miłość, szacunek, wsłuchanie się we wzajemne potrzeby, czułość i przyjaźń. Tak – zwłaszcza przyjaźń. Jemu powierzę każdy mój problem i każdą radość, wiem też, że on do mnie przyjdzie z tym samym, choć nie jest egzaltowany i jego sprawy brzmią ciszej, spokojniej i rozsądniej – to ja mam skłonności do emocji. Wiem, że w jego ramionach mogę wypłakać wszystko, z jego ciepłym i pełnym zrozumienia spojrzeniem, tłumaczeniem i najlepszą wiedzą – dam radę sprawom nawet bardzo trudnym. Mój przyjaciel na dobre i złe.

Kiedyś, pamiętam, zaproszono mnie do telewizji na dziwną dyskusję: „Czy mąż może być jednocześnie przyjacielem?". Dzwoniąca do mnie researcherka już uchyliła kierunek rozmowy – otóż według zaproszonych do studia psychologów kobiet – NIE MOŻE!

Mąż jest elementem nabytym, z gruntu płciowo ob- cym, więc przyjaciółką kobiety może być tylko inna kobieta! Zdziwiłam się, ale chciałam przyjść jako kobieta mająca inne zdanie i męża-przyjaciela. Pani researcherce się spodobało, ale… redaktorom – nie. Widać zaburzałam im jednak koncepcję, ponieważ zasmucona pani zadzwoniła i, wykręcając kota ogo- nem, odwołała moją wizytę w studiu. I dobrze, bo nie lubię brać udziału w rozmowach z góry ustawianych, a ta miała zapach feministycznej zabawy w udowad- nianie dziwnej tezy.

Wracając do meritum – wcale się nie czuję jakaś ułomna, gdy czytam, jak Hanka ułożyła sobie świet- ne relacje z koleżankami. Z mężem ma nie najle- piej, dzieci dorosłe, więc to wspaniałe, że kobiety, jej przyjaciółki, stworzyły taki babski krąg – razem jeż- dżą, ćwiczą, wspierają się, przypominają o badaniach, śmieją, pijąc wino, i gadają. Świetne, jak w *Stalowych magnoliach*, czy *Karmelu*.

Nie czuję ukłucia zazdrości. Nie dążę za wszelką cenę do stworzenia sobie takiego kręgu, skoro nie czu- ję takiej potrzeby. Nie mam też najmniejszych wyrzu- tów sumienia, a nawet mam w sobie wielką radość, że mój Siwy jest moim wielkim przyjacielem i… całym światem. I wiesz, wkurzają mnie ludzie, którzy, słysząc to, z mety uznają za stosowne powiadomić mnie, że to niepoprawny optymizm, że ich znajome/znajomi to (tu przytaczają jakieś potwornie smutne opowieści) za taki poziom zaufania zapłacili straszną cenę i żebym przejrzała na oczy – kto dzisiaj ufa chłopu?! Mężowi?! „Nie ufaj mu!" Sssssssssss... syczą.

W ludziach (zauważyłaś to?) rodzi się natychmiast taka potrzeba wykierowania cię ku (ich zdaniem) lepszemu, bo ONI wiedzą lepiej! Zaraz ci szepczą za uchem, żebyś była ostrożna i żebyś się nie dała, sieją ziarno niepewności! Że oni to ho, ho! Wiedzą, widzą swoje i ze szczerej chęci cię ostrzegają. Czasem to prawdziwe, a czasem tylko lanie w uszy wątpliwości.

Dorosła, suwerenna osoba i tak sama podejmuje decyzje.

Może gdy się ma szesnaście, dwadzieścia lat, takie podpowiedzi coś znaczą? Ale ja mam, na litość, siwe skronie! I bynajmniej nie jestem zawirowaną idiotką wiążącą się z facetem z niejasnych powodów – dla kasy czy seksu. Zjedliśmy ze sobą tę beczkę soli z porzekadła, jednoczą nas wspólne pryncypia i wspólna płaszczyzna filozofii życiowej, która oczywiście u niego ma z lekka inną barwę niż u mnie, ale podstawa jest z dawna stała, obgadana, przyjęta, ustalona, jednym słowem – jak betonowa wylewka. I choć słyszałam ostrzeżenia – z każdym dniem i rokiem upewniam się, że on jest moim przyjacielem.

Kto jeszcze?

No Ty, choć to córczyno-rodzicielska przyjaźń, to jednak do Ciebie, Kochana Moja, gnam z jakimiś swoimi radościami i smutkami. Czasem to nagły mail, czasem nawet telefon nie baczący na porę dnia, a czasem opowieść we wspólnej książce zdradzająca jakieś moje zapatrywania, sprawy mniej ważne.

Moja synowa też jest mi bliska, i mój syn, mimo że mamy różne pryncypia, poglądy i filozofie, łączy nas więź rodzinna, choć może już nie tak głęboka. Czy to sprawa płci? Charakteru?

Wiesz, pamiętam Twoją fascynację serialem *Przyjaciele*. Tęskniłaś za takim gronem, czy tylko Cię bawili? Miałaś chyba swój kawałek tego tygla przyjacielskiego w pierwszych miesiącach pobytu w Sydney – prawda?

Przyjaźnię się też w pewien sposób z Twoim ojcem. Trzydzieści lat bez wojny, Wy – jako efekt, suma, owoc naszego wspólnego wówczas życia, i zachowany i odrestaurowany po rozwodzie szacunek. Zwykłe lubienie się – to też fajne. Bywają sprawy, z którymi się do niego zwracam, bo nikt inny ich tak nie załatwi, nie skomentuje. Misiek i jego Marta – mój cioteczny brat, ale jakby rodzony, bo byliśmy zawsze ze sobą w wielkiej bliskości. On ma tę cudowną cechę, że potrafi zadzwonić bez żadnej potrzeby i powiedzieć, że właśnie myśli o mnie, więc dzwoni, żeby mi powiedzieć jak Stevie Wonder, że mnie kocha: „Siostro moja... kocham cię!". Albo po wspólnym kinie – telefon, że „faaaaaajnie było!!!". Lubię to u niego. Czasem dzwoni z problemem wychowawczym albo innym. Jestem dla niego ważna! Jesteśmy dla siebie ważni. Lubię to. Mój starszy brat Mirek, bratowa i bratanice, z którymi mam jakieś wspólne pola plotek, śmiechów, spraw – to jest mój krąg.

Rozpisałam się, a tu życie woła. Pogoda byle jaka, chłodno, bo to przedwiośnie.

Siwy poszedł pogadać ze swoim spełnionym marzeniem – z motorem.

Mówiłam Ci? Zawsze marzył, że jak wróci do kraju, to kupi sobie motor. Nie budzi to mojego zachwytu, ale nie obnoszę się z tym, ufam mu. Wiem, że będzie ostrożny, nie szarżuje, nie ściga się – nie ma temperamentu idioty, ale kto mi da gwarancję, że bezpieczeństwo na drodze zależy tylko od niego?

Ma świetny kask, teraz reszta – pas nerkowy, porządne spodnie i kurtka – to nie sprawa mody, jak wiesz, ale bezpieczeństwa.

„Wiesz… – powiedział wczoraj – ciężki jest. Nie wiem, czy to moje marzenie mnie nie przerosło?".

I ja nie wiem, sam musi sprawdzić.

Buziak, Kochana Moja!

Mama

Mamciu!

Mogę tylko odpisać naszym (nie)ulubionym tekścidłem: „dooookładnie!" ☺.

Straciłam w życiu dwie wielkie przyjaźnie, które miały być po sam grób i wsze czasy. Jedna zaczęła się w podstawówce, druga grubo po studiach, więc jak widać nie ma reguły co do tego, kiedy zostały nawiązane. Przyjaźń jest związkiem dwojga ludzi i jak związek należy ją traktować – jako taka wymaga pewnego rodzaju „chemii" na początku, wspólnych pasji lub choćby hobby w trakcie - jakiegoś punktu stycznego, dobrze rozumianej wierności oraz obustronności i równowagi we wkładzie. Mam w swoim życiu dwie czy trzy takie osoby, które mogę nazwać przyjaciółmi, z którymi widuję się, a nawet tylko kontaktuję, raz czy dwa razy w roku. Przyjaźń działa, bo i mnie, i im taka częstotliwość odpowiada – nie jesteśmy o siebie zazdrośni, dajemy sobie przestrzeń, a kiedy już się zetkniemy, nie możemy się rozstać przez cztery, pięć godzin. A potem znów pół roku przerwy. Z inną przyjaciółką SMS-ujemy z każdym newsem i ważniejszym przemyśleniem. Kiedy nie mamy kontaktu przez parę dni, któraś zawsze wyśle „żądanie raportu" – i z tym też nam obu dobrze! Z kolejną przyjaciółką wciąż się na siebie obrażamy i boczymy, ona, że ja się znów nie odzywam, ja, że jak już się odezwę, to ona „nie chce o tym rozmawiać". Tak to już jest z chemią, że na różne pierwiastki reagujemy różnie. Czasem wybuchowo, czasem obojętnie, czasem inhibitująco, czasem aktywizująco. Taki lajf, jak to się mówi.

Ale prawdą jest, że z wiekiem do przyjaźni mam stosunek coraz ostrożniejszy. Często dana znajomość zaczyna się pięknie i ekscytująco, ale prędzej czy później drogi albo poglądy się rozchodzą i trzeba na sprawie położyć krzyżyk. Jeśli gra jest warta świeczki, znajomość utrzyma się dłużej, choćbym zmieniła pracę, miasto lub wyznanie religijne – bywało i tak.

Często jednak z daną osobą bardzo dużo łączy mnie na jednej tylko płaszczyźnie, a przy zmianie tej płaszczyzny nagle robi się niezręcznie i brakuje tematów. Ale nie ma co płakać nad rozlanym mlekiem. Kiedyś gdzieś usłyszałam, że spotykamy ludzi na dany moment życia i myślę, że ma to sens. Nie dlatego, że ludzie są szybko zbywalni i wymienni – nie, nie. To my się zmieniamy, choć często sami nie jesteśmy nawet w stanie tego zarejestrować. Zmieniają się nam priorytety, sposób spędzania wolnego czasu, podejście do pewnych spraw, tempo i tryb życia oraz milion pięćset innych czynników. Jeśli masz szczęście, naprawdę wielkie szczęście, to ta jedna przyjaciółka zmieniać się będzie razem z tobą na równoległej trajektorii w podobnym postępie i kierunku – i znów, statystycznie jest na to przecież jakaś szansa, taka sama jak spotkanie miłości na całe życie. Twoja druga połówka – tylko trochę innego typu. Ech, marzenie…

A wracając – ludzie na dany moment. Każdy z nas przecież ma lub miał, jak sama piszesz, najlepszą kumpelę z ławki, superkoleżankę „od papierosa" w biurze, ulubioną sąsiadkę, tę z trzeciego piętra. I w danej okoliczności, chwili dłuższej czy krótszej, ta osoba była nam najbliższą na świecie, powiernikiem, doradcą i podporą. Aż skończyłyśmy podstawówkę, rzuciłyśmy palenie, zmieniłyśmy pracę lub przeprowadziłyśmy się na inne osiedle, a twarz się rozmyła w pamięci za obopólną zgodą i przyzwoleniem. I wiesz co, nazwij mnie cyniczną, ale dla mnie to jest OK! Myślę, że to normalne, naturalne i nieuniknione.

Można tu oczywiście debatować nad użyciem słowa „przyjaciel" – dla mnie kiedyś było to słowo wielkie i ważne, jak „miłość". Nie używałam go nadmiernie, nie szastałam, uważałam, cedziłam i selekcjonowałam. Ale zmieniłam się, Mamuś, wiesz? W moim życiu zaczęło się pojawiać z czasem całe mnóstwo miłości, nie tylko tej przez duże „M", do moich mężczyzn czy kochanków, ale i przez mniejsze „m". Miłości takiej generalnej (tak to zdefiniowałam) do rodziny, do przyjaciół, do rodziny moich przyjaciół czy rodziny moich mężczyzn, do miejsc, do zwierząt, choć nikt mi nie wierzył, że kochałam ślimaka. I tak samo wokół mnie jest dużo przyjaźni, nawet jeśli niektóre z nich mają krótki termin przydatności.

Oczywiście, że chciałabym mieć przyjaciółkę taką na śmierć i życie, jak na filmach. Najlepiej całą grupkę, jak u Bridget Jones, Carrie Bradshaw z *Seksu w wielkim mieście* czy jak u *Przyjaciół*, taką, która zawsze jest pod telefonem, zawsze przyjedzie, pocieszy, pomoże, wesprze, a na koniec razem się upijemy na wesoło. Mam moją grupkę, ale w rzeczywistości choćby najwierniejsza grupka ma zawsze jakieś swoje życie, swoje dramaty, migreny, ciąże, kredyty i nie zawsze są w stanie podźwignąć cię z podłogi. I to też jest OK, trzeba tylko zdać sobie z tego sprawę, żeby potem nie było bolesnych rozczarowań i wypominań. „Im mniej od ludzi oczekujesz, tym mniej doświadczysz rozczarowań" to kolejna złota myśl, którą wzięłam sobie ostatnio do serca. Przecież same nie lubimy, kiedy ktoś od nas czegoś oczekuje, prawda? Nikt nie lubi presji, żeby musieć, żeby należało, żeby wymagane było. To tylko rodzi frustrację, i to najczęściej z obu stron. O ile przyjemniej jest mile kogoś zaskoczyć, a potem rozkoszować się radością zaskoczonego oraz własną „zajebistością". Cenię to w przyjaźni – nie chcę, aby mój związek z kimkolwiek był ciężką pracą. Lubię, kiedy pewne kwestie przychodzą naturalnie, z lekkością i przynoszą wszystkim zaangażowanym szczęście lub chociaż mały uśmiech na twarzy.

A tak z zupełnie innej beczki, to właśnie mi się przypomniał jeden z ulubionych moich filmów o przyjaźni – *Dwaj zgryźliwi tetrycy*. Aż chyba sobie dziś obejrzę! Pamiętasz? Zastanawiałyśmy się kiedyś, czy wzorowani byli na tych dwóch złośliwych dziadkach z *Muppet Show*. A może nie? To chyba po prostu też taki archetyp przyjaźni, zwłaszcza męskiej – dogryźć sobie, dokopać nieco, wyszydzić przy wszystkich, a potem razem iść na ryby. Wielu facetów ma w swojej przyjaźni właśnie tę cudowną lekkość, nie-skażoną fochami, pretensjami i zawiścią, dzięki czemu dużo łatwiej radzą sobie z konfliktami i są bardziej odporni na zmiany życiowe. No, ale chłopem nie jestem, to co ja tam wiem… A teraz, jak to się drzewiej mawiało – idę na telewizję!

Nostalgia-kanalia

Kochana Moja!

Pamiętasz może taką piosenkę włoską śpiewaną przez duet Al Bano i Rominę Power *Nostalgia cagnalia*?

Tam chodziło o miłość, choć i o kraju chyba wspominają... chyba, ale mi chodzi o nostalgię sensu stricto.

Kiedyś mi powiedziałaś, że jak zacznę głosić, że dawniej to trawa była zieleńsza, znaczyć to będzie, że spierniczałam. Tak się starałam! I wiesz co? Coraz częściej mnie to dopada. Tak chyba jednak musi być, szczególnie u osób z pamięcią emocjonalną. Już chciałam napisać „z dobrą", ale właśnie doskonała pamięć pozwala zachować w zakamarkach jaźni różne wpadki, błędy, absmaki i nierówności. Pamięć emocjonalna wygładza zmarszczki przeszłości jak Photoshop... Maluje trawę na szmaragdowo, młodość na różowo, dawne sprawy są jak... w ładnym filmie. Kiedyś Flip i Flap sprawiali, że kino trzęsło się ze śmiechu, a też późniejsze, już bardziej „moje" komedie: *Jak rozpętałem II wojnę światową*, czy *Sami swoi*, *Seksmisja* albo *Vabank* wydawały mi się bardzo śmieszne. Wyrosłam na wymagającej rozrywce, dlatego Starsi Panowie Dwaj, *Wojna domowa*, późniejszy Kabarecik Olgi Lipińskiej, a w Krakowie twór wielce szczególny – Piwnica pod Baranami, w Poznaniu lżejszy i całkiem odmienny Tey, w Warszawie Egida, Dudek, przedtem *Podwieczorek przy mikrofonie*, to były wydarzenia na poziomie. Starsi Panowie do dzisiaj zachwycają subtelnością, lekkością tekstów i wysmakowaną muzyką, delikatnym jak koronka dowcipem, przenośnią, czułością, jaka się tam zadomowiła i w poezji Jeremiego Przybory, i w muzyce Jerzego Wasowskiego. Cacuszeńko takie. W Piwnicy – inny klimat, ale to ona urodziła nasze wielkie nazwiska: Ewę Demarczyk, Leszka Długosza, Zygmunta Koniecznego, Halinę Wyrodek, Jana Kantego Pawluśkiewicza, Annę Szałapak, Olę Maurer, Marka

Grechutę, Michała Zabłockiego, Grzegorza Turnaua. Kompozytorką też była Krystyna Zachwatowicz! (Nie wiedziałam, że i kompozytorką jest, szacun, jak mówią). Ile tu perełek!

Do dzisiaj zadziwia mnie cudownie dowcipna i lekko zagrana *Wojna domowa*, i tylko bezbrzeżny żal, że jedynie piętnaście odcinków! A ci aktorzy mogliby bez uszczerbku dla siebie zagrać w następnych stu piętnastu. Dzisiaj miałabym co oglądać, ponieważ we współczesnej telewizji nie umiem znaleźć niczego, co mnie zatrzymuje na dłużej. To chyba sprawa komercji, która w tamtych czasach owszem, była pojęciem znanym, ale na pierwszym miejscu był artyzm, i to nie tylko w produkcjach telewizyjnych. Dygresja – Barbara Hoff, która postanowiła ofiarować PRL-owskiej młodzieży świeży powiew mody ze świata, zrobiła to i… nie dostała za swoje wzory królujące w Hofflandzie (jej pomysł!) wielkich (niemal żadnych) pieniędzy. Uwierzyłabyś?! Zrobiła to dla idei! Staliśmy w wielkich kolejkach po lejby, spodnie szwedy (bardzo szerokie), wysokie, skórzane buty na „słoninie" (gruba podeszwa, a były ze zwykłej świńskiej skóry, pod kolano, niby nic takiego, ale miały styl!), bawełniane podkoszulki z szerokimi rękawami i szwami po prawej stronie… TYLKO w Hofflandzie to było! Dzisiaj owszem, wszędzie wszystkiego pełno, dostępne niedrogie łaszki w sklepach, które są w Toronto, Seulu, Warszawie, Paryżu, Moskwie, Helsinkach – takie same! No i robione wyłącznie dla kasy, a nie po to, żeby Polki i Polaków modnie ubrać. Szyte w Bangladeszu za dwa złote nabierają ceny w drodze na półkę w sklepie i tam już kosztują o kilkaset procent więcej. A pani Basia Hoff za darmo, dasz wiarę?!

Wczoraj byliśmy w małym mieście, prawie wojewódzkim, w domu kultury na przedstawieniu Piwnicy pod Baranami. Niby wszystko to samo, świetne utwory, muzyka, żywi aktorzy wprost z Krakowa, a sama wiesz, jaki Kraków jest i jacy są Krakusi, ale jednak zabrakło czegoś. Ducha…? Dwa dni Siwy się tłukł i zastanawiał, w czym rzecz? I wreszcie doszedł. To są dzisiejsze czasy, takie, że komercja rządzi. Zwłaszcza sferą tak delikatną jak kabarety. Bo wiesz, że kabaret to satyra, a jak satyra w Krakowie, to rozrywka dla inteligentnych, jak niegdysiejszy „Przekrój". I rzecz w tym, że dzisiaj mamy wolność słowa, prawdziwa inteligentna satyra umarła, bo dzisiaj można zawołać wprost, że państwo robi nas w balona w tym i tym temacie, że urzędy skarbowe to tralalalala, a pan premier to ma brzydką żonę, mieszkanie albo psa, a pan prezydent miał za krótkie

spodnie i powiedział „Urugwaj" zamiast „Paragwaj".
Gdzie tu miejsce na satyrę? Na satyrę inteligentną,
zawoalowaną, ukrytą, bo inaczej w czasach PRL-u
smutny pan z Mysiej zakwestionowałby tekst albo
i zamknął kabareciszcze. Na tym gruncie cenzu-
ry idiotycznej i głupiej wyrósł wspaniały Wojciech
Młynarski i wielu takich, którzy umieli puszczać
do widowni perskie oko. Ale też (Piwnica, Kabaret
Starszych Panów) wyhodowali sobie tak wspaniałych
poetów i muzyków oraz wykonawców, że, śmiem
twierdzić, były to szczerozłote czasy najlepszych
tekstów i pięknej, wykwintnej swą szlachetnością
i wyrafinowaniem muzyki. I na tym koncercie wczo-
rajszym już tego się nie wyczuwało… artyści muszą
z czegoś żyć, gdzieś śpiewać, więc Piwnica jest nie
tylko w piwnicy, ale też tam, gdzie ją zaproszą. To
wspaniali wykonawcy, świetne głosy, artyzm i warsz-
tat przedwojenny prawie, ale to już nie to samo, co
po schodkach w dół, w małej salce.

Dla tych, którzy się wychowali na serwowanych
nam codziennie (!) kabaretach w telewizji – nie ma
czego szukać w Piwnicy, i na szczęście nikt nie reanimuje Starszych Panów, nikt im nie robi *come backu*.
No, raz zrobił to doprawdy świetnie Maciej Stuhr, ale
nie ciągnął tego dla kasy.

My czekaliśmy jak kania na deszcz na Kabarecik Olgi Lipińskiej czy na Przyborę z nieodłącznym Wasowskim, Michnikowskim, Krafftówną i Jędrusik, a dzisiaj na jaki kanał nie przełączysz, masz kabaret na kabarecie, choć dowcip zdechły, bo satyra już zbędna, nie ma umiejętności przędzenia czegoś subtelnego. Durne miny, durne grepsy, wszystko dość toporne i… za dużo tego!

Udawanie jakiegoś celebryty czy kogoś z rządu nikogo nie śmieszy, żarty są płaskie jak rozdeptana guma i podobnie zużyte. Na moich oczach kabaret umarł.

Więc wspominam, i chyba mam rację, że kiedyś to się boki zrywało, kołysało serdecznie, gdy Marek Grechuta efeb – śpiewał tkliwie „Będziesz zbierać kwiaty…" albo płakało, gdy Halina Wyrodek śpiewała do wiersza Tadeusza Śliwiaka hymn mojego pokolenia *Ta nasza młodość* do specyficznej i delikatnej muzyki Zygmunta Koniecznego. Pamiętam, że jak byłam młoda, jakoś niespecjalnie lubiłam tę pieśń, bałam się jej. Miała zbyt wielki ładunek emocji, ale dzisiaj wiem, że wtedy jeszcze do niej nie dorosłam.

Wiesz, kto mnie jeszcze dzisiaj śmieszy? Mim, Ireneusz Krosny, ale chyba dlatego, że ja go rzadko widuję. I tu tkwi chyba klucz do mojej frustracji. Jesteśmy z powodów komercyjnych zabici śmiechem. Znaczy śmiechem w założeniu – na jaki kanał wieczorem nie przełączysz, możesz mieć pewność, że trafisz na jakiś kabaret. I tyle tego, że już nic nie śmieszy. Kiedyś była jedna do roku Noc Kabaretowa w Opolu. Do kabaretu się szło jak do teatru, a potem się sprzedawało rodzinie co lepsze kawałki przy kolacyjce i snuło pomysł wyprawy na następny. Dzisiaj mamy przesyt i chyba żadnych następców odchodzących na emerytury starych mistrzów. I jeszcze coś. Z rzadka doprawdy w kabarecie sprawdzają się kobiety, zauważyłaś?

O kinie, teatrze, zwłaszcza teatrze mogłabym też nieskończenie – kiedyś co najmniej (dzięki mojej polonistce Romie Stawińskiej) raz na dwa tygodnie, no, raz w miesiącu to najmarniej, byliśmy (całą klasą) w teatrze. Zawsze to były jakieś znakomite sztuki, reżyserzy – Hanuszkiewicz, Englert, Zapasiewicz, Holoubek (!), Dejmek, Łapicki... A aktorzy! O ludzie, nie było wówczas celebryctwa, była rzetelna praca na deskach teatru, wspaniałe role młodszych, starszych, sztuki wystawiane starannie, w pięknej oprawie, wiesz – scenografia, muzyka, charakteryzacja, kostiumy i doskonale podany tekst.

Dzisiaj to rzadkość. Zazwyczaj teatry mniejszych miast kultywują starą szkołę aktorsko-reżyserską.

W większych i bardziej znanych teatrach młodzi reżyserzy transgresją koniecznie chcą zdobyć chwałę. Gdyby od czasu do czasu robili to przemyślanie i sensownie, ale młodzi uważają, że wyłącznie łamanie stereotypów i nowa moda w teatrze na wstrząsanie widzem, a to kurwami, a to nagością, a to wciskaniem na przykład kwestii żydowskich tam, gdzie ich nigdy nie było – da im laury.

Nie jestem wielkim znawcą, ale mnie to zwyczajnie nuży.

Za to Treliński i Kudlička w Teatrze Wielkim to dwa klejnoty! Jak już oni się wezmą za nawet nudnawe utwory, to perełki z nich wychodzą. Jak przyjedziesz, opowiem Ci, jak wystawili *Latającego Holendra* ☺.

Czytam tego maila i dziwię się sobie, że nostalgia kojarzy mi się głównie ze… sceną. Bo nostalgia za czasami, gdy byłam mała, młoda, za osobami, których już nie ma, za jakimiś spotkaniami rodzinnymi – rozsiana jest po naszych mailach jak sól ☺.

I jednak… kiedyś trawa była zieleńsza.

Kończę jakaś taka nostalgiczna. Dzisiaj zwykły krupnik grzybowy ze śmietaną. Mama taki robiła. I racuchy z jabłkiem w drożdżowym cieście. W mojej podstawówce mówiło się na to „pampuchy" ☺.

Całuję Twój ryjek, Mama

Mamuś,

pamiętam Kabarecik – pamiętam głównie to, że niewiele rozumiałam, ale lubiłam, bo oglądałyśmy go razem. Potem było *Polskie Zoo* – ja niepolityczna jestem w zainteresowaniach, więc też nie odnajdywałam się w tego typu dowcipie, choć bawiły mnie te swojskie „muppety". Starszych Panów znam już tylko z powtórek, nie będę więc udawać, żem dość wiekowa, aby to z rozrzewnieniem wspominać…

Inna rzecz jednak mnie uderzyła, Mamuś, kiedy tak czytałam Twojego maila. Nostalgia. Czy ja czuję nostalgię? Pomyślmy. Nostalgia bierze się przecież z tęsknoty, tęsknota bierze się z braku. I widzisz, ja sama się za głowę łapię, jakich rzeczy mi brakuje tu, na mojej obczyźnie! Rzeczy prostych, które zbyt praśne i przyziemne się wydają, by owionęła je wzniosłość słowa „nostalgia". A może?

Powiesz pewnie od razu, że brakuje mi rodziny. I będziesz miała rację. Do tego przyjaciół. I znajomych. Oczywiście. Moich miejsc. Mojej ulicy. Mojego jedzenia. Moich ubrań nawet, tych upchniętych głęboko w szafie „na kiedyś", a które nie załapały się już do przepełnionej walizki. Ginekologa mojego, doktora Kunickiego, który zawsze w kwestiach kobiecych wypowiadał się w pierwszej osobie liczby mnogiej – „Wie pani, czasem podczas okresu możemy mieć na przykład bóle głowy...". Naprawdę, panie doktorze? My? ☺ Byłam zawsze jego wierną pacjentką, fanką, wyznawczynią wręcz. Tu go nie ma... Brakuje mi zimy i śniegu – pisałam Ci już o tym. Kasztanów, mirabelek, wiśni, agrestu i dmuchawców – w ogóle flory lokalnej i fauny. Zamiast trzysta czterdziestego piątego gatunku pająka mordercy oraz karalucha giganta zdecydowanie wolałabym pod domem napotkać padalca albo łysego, obślizgłego pomrowika. Ale wiesz co, Mamuś, im dłużej tu jestem, tym ta lista się wydłuża z pozoru o coraz bardziej absurdalne pozycje.

Dziś na przykład uderzyło mnie, że czegoś mi w mieszkaniu brakuje. Coś nie gra i tworzy nieprzyjemne uczucie obcości. Otóż w Australii, Mamuś, nie ma instytucji przedpokoju. No nie ma. Nie ma po co. Drzwi wejściowe w większości przypadków otwierają się bezpośrednio na pokój i nikt nie widzi w tym niczego zdrożnego. To pewnie kwestia klimatu – u nas przecież musi być obowiązkowy wieszak na płaszcz, kurtkę oraz szalik, szafka na buty zimowe i miejsce na oparcie parasola. Do tego kawałek podłogi, gdzie stoją kapcie na zmianę i dopiero wtedy można wejść na salony. Zwykle się ten fragment kafelkuje lub wykłada boazerią, bo łatwiej będzie z błota oczyścić. Oczywista oczywistość wydawałoby się. No, a tu płaszcze i szaliki wyciąga się z rzadka, a jak już, to przecież można je odwiesić do szafy. Nie ma butów zimowych, są buty całoroczne w wariantach cieplejszych i przewiewniejszych, od klapek po uggi, więc po co szafka, skoro buty są w ciągłym użytku. Błoto i kurz są, owszem, ale najwyżej wymieni się wykładzinę – stąd wykładziny w znanych mi mieszkaniach są zawsze niemożebnie brudne i poplamione, co boli mnie niemal fizycznie, wiesz czemu? Przez tatę! Jedno z pierwszych moich wspomnień z dzieciństwa to moment, kiedy ja i Stasiek zostaliśmy zamienieni pokojami (do dziś nie wiem dlaczego). U niego położona została zielona wykładzina, u mnie jaśniutkobeżowa. Ilekroć tata wchodził do mnie do pokoju, tylekroć kucał, bo zawsze zdołał wypatrzyć na nieskazitelnej beżowości jakiś paproch lub kłaczek. Paproch lub kłaczek był potem łapany między kciuk a palec wskazujący i wynoszony do kosza. Tatuś miał nabożny stosunek do tej wykładziny. Pamiętasz, jak kiedyś się zatrułam i w nocy zaczęłam wymiotować? Zwymiotowałam sobie wtedy w ręce i wyniosłam, ile mogłam do (nomen omen) przedpokoju, żeby tylko nie poplamić wykładziny! Biedne, sterroryzowane dziecko ☺. Oooj tatuś… W przedpokoju też tata narysował nam kiedyś jelenia na drzwiach szafy wnękowej, żebyśmy mogli do jelenia strzelać strzałami z przyssawką, jak Robin Hood. W ogóle w przedpokoju toczyły się wszelkie bójki, rozgrywki sportowe oraz inne aktywności fizyczne, które w przeciwnym wypadku groziły uszkodzeniem domowych sprzętów. A tu przedpokoju nie ma…

Niesamowitą też nostalgię czuję w temacie trzepaka. Tu rzecz absolutnie nieznana, nawet nie znalazłam nigdzie odpowiednika słowa „trzepak" po angielsku, więc kiedy opowiadam o moich akrobacjach podwórkowych, używając licznych opisów przyrodniczo--konstrukcyjnych, miejscowi patrzą na mnie z ostrożnym zdziwieniem graniczącym z niewiarą. Gdzie ci ludzie, na litość boską, robili fikołki??? A wymyk i odmyk? A „tramwajarza"? Grę w gumę, kiedy brakowało trzeciej osoby? Niebywałe dla mnie zupełnie… W Polsce trzepaki już też wymierają, ale czasem jeszcze na jakimś starym osiedlu ostał się relikt, którego już nawet dzisiejsze dzieci omijają szerokim łukiem, bo za mało jest interaktywny, nie kręci się, nie huśta ani nie wygina. Spytałam kiedyś siostrę Dużego, gdzie się bawili jako dzieci. Na ulicy, w ogrodzie za domem, na plaży (na plaży!), u sąsiadów oraz na wysypisku. Ha… I tu szacun, bo na wysypisku musiała być cała masa skarbów, które tylko usmarkany dwunastolatek jest w stanie docenić! Ale jednak jakie to inne…

Brakuje mi, Mamuś, pługów śnieżnych i kabli do akumulatora, które zawsze miałam w bagażniku na wypadek większego mrozu. Brakuje mi możliwości wtrącenia w konwersacji zdania „mówię Ci, istny Bareja!". Brakuje mi – strasznie mi brakuje!!! – naszych ukochanych neologizmów i językowych wypaczeń. Niechcący, pyszczyszon, cierepa, mameja, „kurą w płot", pierdyliard, „ubierz swetr", ludziepaniekurdeboże… Tych wszystkich klimacików językowych, za które niektórzy krytycy Cię zbesztali, że „nikt tak nie mówi". A zygu-zygu – właśnie, że mówi. Ja tak mówię! Szlag mnie trafia, kiedy mi telefon przeprawia „misiex" na „misiek" albo „lulek" na „kulek". Wara ci, kurna, głupia maszyno, od mojego lulka! Lulka będę bronić jak niepodległości i znam zresztą dwie takie, co by się do mnie przyłączyły. No, ale jak Dużego nazwę lulek, to przecież pomyśli, że gadam do siebie…

Wiele rzeczy mi brakuje, Mamuś, i muszę sobie z tym radzić. Świat się zmienia, życie się toczy. Nowe doświadczenia stopniowo przenikają w nowe wspomnienia, a te budują obraz całego mojego życia. Nie przywrócę trzepaków podwórkom, nie zasadzę pod blokiem kasztana, ale dobrze jest czasem spojrzeć w głąb siebie, znaleźć w pamięci dany, sentymentalny obrazek, pogładzić go, utrwalić kolejny raz w odmętach jaźni, wygładzić photoshopem emocji i odłożyć ku pamięci na następny raz. A potem żyć dalej – kto wie, kiedyś być może z nostalgią będę wspominać wielkie, tłuste karaluchy i drzwi na środku, cholera jasna, salonu.

Z tej okazji – bo przecież dziś Wielki Piątek – ukręciłam rybę po grecku. Z sentymentem i nostalgią.

Buziaki!

Hejt, czyli jedna baba drugiej babie…

Lalko Moja Kochana!

Zawędrowałam na bloga koleżanki po piórze, potem utknęłam na dłużej na blogu znanej aktorki, którą ogromnie lubię, przeszłam do koleżanki dziennikarki społecznej i… zajrzałam do siebie, na moją stronę. Dyskusje o sprawie? Z rzadka! Częściej wredne kuksańce nie na temat, czyli jazda ad personam króluje. Znakomity tekst znanej pisarki o naszej patriarchalnej rzeczywistości, że depcze się nadal kobiety, umniejsza ich mądrość, bo zwycięża stale macho i łokcie. I jak na zawołanie komentator debil podkłada się równiutko, pisząc „To jakieś menstruacyjne wydzieliny". To nie tylko szczyt chamstwa, ale też rodzaj molestowania, przemocy słownej. Pan cham tylko potwierdził to, o czym napisała autorka…

Wiesz, że wychowywałam Cię w duchu feministycznym, żebyś szanowała siebie, swoje ciało, swój rozum, i że równouprawnienie powinno być normą społeczną, etc., etc. Cieszę się, że jesteś silna, mądra, odważna i… kobieca. Można mieć w sobie siłę orkanu i być kobiecą kobietą. Nie do końca umiem zwerbalizować, co to znaczy, ale mniej więcej tyle, że dobrze jest, gdy kot jest koci, pies psi, ryba rybia, mężczyzna męski, a kobieta kobieca. I niewiele to ma wspólnego ze statusem społecznym, choć gdy się wdepnie w jakieś zaskorupiałe bagno samców alfa, można odnieść wrażenie, że znalazłaś się w neolicie, gdzie „kobiety i ryby głosu nie mają!". Ale ja nie o tym…

Znasz powiedzenie *homo homini lupus est*? Dzisiaj powiem po tym czytaniu komentarzy pod wpisami mniej lub bardziej znanych kobiet – *femina feminae lupus est*. Prawidłowością jest to, że większość wpisów to kobiecy hejt. Nie tylko zdanka młodego chamstwa rodem z Pudelka, ale i wyrafinowane, inteligentne, często w białych rękawiczkach, lakierowanych szpilkach, którymi rozdeptują obgadywaną osobę na miazgę. Za nic! Najczęściej to są wpisy kompletnie niemające charakteru dysputy. Wycieczki osobiste w najgorszym stylu, pomiatanie i wręcz gnojenie z uśmieszkiem na ustach.

Niby zaraz powinno się opowiedzieć o tym, że właśnie ruch feministyczny ma za zadanie posklejanie nas do kupy, scalenie w imię babskiej przyjaźni i zrozumienia. Nic bardziej mylnego.

Wczoraj poczytałam sobie, jak to koleżanki feministki mają nam, koleżankom piszącym, za złe, że opisujemy jakieś kretyńskie światy, zamiast tworzyć bohaterki feministyczne, walczące, zwycięskie i bojowe... Że dom i rodzina takie miłe i dobre, to sobie możemy co najwyżej w buty wsadzić, że to robienie czytelniczkom kisielu z mózgów i tak dalej. Przecierałam oczy ze zdumienia.

Mamy pisać „po linii i na bazie"?! To już było! „Naród z partią, partia z narodem, a ty pisarzu o tym pisz!". Teraz czytam krytykę nakierowaną na książki pisane przez rzesze nowych pisarek. Powieści obyczajowe, wesołe kryminały czy wręcz romanse. Wszystko to, zdaniem feministek, jest ZŁEM.

Bohaterka ma być społecznie i politycznie zaangażowana! I żadne tam pierogi czy zacofana, ckliwa miłość! To ZŁO, to ugruntowanie w kobietach fatalnych nawyków i wiary w jakieś mrzonki, jakimi jest fajny związek, ciepły dom, gorące uczucie… Okropne, dywersyjne, szkodliwe brrrr! Jak Halloween, czy co tam jeszcze. Oczywiście najchętniej anonimowo kobiety wbijają osikowe kołki innym kobietom, zalewają wrzącą smołą i syczą.

Kobieta, kobiecie… Patrzę i nie wierzę. Bardzo to smutne, nie mówiąc już o tym, że wyniszcza wiarę w tak zwane kobiece, dobre kręgi. Doskonale pamiętam, jak Manuela założyła Partię Kobiet. Kto najbardziej wykpił ideę, partię i samą Manuelę? Inne kobiety, i to ze środowisk feministycznych. Nagle zrezygnowały z kobiecej solidarności, zantagonizowały środowiska i… nie poparły!

Dzisiaj ta silna frakcja feministyczna wojuje samodzielnie, jeszcze nie jako partia, ale nadal nie robiąc niczego dla podania sobie rąk poza podziałami, czego dowodem są owe krytyki osób, na przykład mnie i mi podobnych, gdy mówię o tym, że jestem za równouprawnieniem, ale sama za karierą nie goniłam. A jak już powiem głośno, że wychowywanie Was i troska o dom były dla mnie powołaniem i frajdą – spychana jestem, jakbym co najmniej przyznała się do wiary w elfy. Mieszkam na wsi, a tu kobiety są albo pod ogromnym wpływem kościoła, więc żadne feminizmy im nie w głowie, albo pukają się w czoło, bo jak one mają stawiać na własną karierę, skoro prowadzą z mężem gospodarstwo rolne? Oboje są urobieni po pachy, więc mąż jeżdżący cały dzień ciągnikiem, wywalający tony gnoju, czyszczący mlekowóz, pilnujący porządku w oborze siłą rzeczy nie stanie się „partnerski" – nie zamieni się z żoną na gotowanie zupy i wieszanie prania. Tu podział pracy jest bardzo precyzyjny i… sensowny! Ktoś przecież musi powiesić gacie do wyschnięcia, zrobić obiad mężowi, sobie i dzieciakom, nakarmić kury. Tu idee feministyczne „bądź samodzielna, niezależna i wyzwolona, walcz o swoje i stąpaj odważnie ścieżką kariery" jakoś się nie sprawdzają. I one, nawet te światłe i fajne wiejskie dziewczyny, żyją jakoś inaczej, godząc niemożliwe – własne równouprawnienie – z kościelnymi wpływami, matkami, teściowymi i nowinkami z Kongresu Kobiet. Nie dziwię się, że im często zwrotka nijak nie gra z refrenem. Ciężko jest na polskiej wsi wdrażać idee feminizmu. Zwłaszcza że właśnie polskie wsie, miasteczka, czyli urzędy gmin, to siedlisko mizoginów. Niby pracuje w nich wiele kobiet, ale gdy zdarzy się wójt, sołtys, burmistrz z poczuciem, że jest samcem alfa, bo za dziadka i ojca już tak było, że baby to mają siedzieć cicho – trudno jest złamać takiemu kręgosłup ideowy, nauczyć szacunku i manier. Pomiatanie i autorytaryzm to podstawa rządów takich sobiepanów. Choć stwierdzam z radością, że jest wiele pań na stanowiskach burmistrzów, wójtów czy sołtysów, jednak czy są mądre? Różnie z tym bywa, ale zazwyczaj są!

Pamiętasz może, gdy mieszkałam na Mazurach, wójtowi w głowie się nie mogło pomieścić, że inwestorem jest... kobieta! Że przedstawicielki firmy to my obie, ja i moja prawa ręka Iza! No, nie faceci! Jak żyć z czymś takim? I jak rozmawiać? Nie mógł tego pojąć, choć to właśnie nasza firma wpłacała do gminy tłuściutki podatek! Wiesz, na tyle go to wkurzało, że gdy szedł ulicą i widział mnie – przechodził na druga stronę, nie kłaniając się! Dzisiaj w kolejnej gminie obserwuję to samo. WÓDZ jest facetem! Kobiety starają się utrzymać na swoich stołkach, ale dyskusji z Wodzem nie ma! W wielu jeszcze gminach, starostwach panuje taki zaścian.

Dzisiaj czytałam wywiad z naszą pierwszą „panią ministrą". I nie czepiam się tytułu, niech sobie będzie ministra, ale ona jednak potwierdziła w wywiadzie, że polski sport, te związki, grupki wzajemnej adoracji etc., to zgromadzenie kogutów! „Samce alfa pijące whisky". Mamy świetne zawodniczki kobiety, ale kto nimi dyryguje? Urzędnicy – faceci lekceważący kobiety i kultywujący przekonanie, że sport to wyłącznie męskie sprawy. Zwłaszcza w urzędach i... przy korycie.

Nadal wiele jest do zrobienia w sprawach zwykłego równouprawnienia, to chyba zadanie jeszcze ze dwóch pokoleń, co najmniej. A jak się rozwinie polski feminizm? Nadal kobieta kobiecie będzie chciała wykazywać swoją wyższość?

Wiesz, z czasem staję coraz dalej od tych nurtów. Podziwiam Krysię Jandę, Krysię Koftę, Dorotę Zawadzką, Dorotę Wellman, Manuelę Gretkowską i inne mądre, świetne dziewczyny, że mają w sobie tyle siły na to, by nie czuć ugryzień hejterek.

Smutne.

Pamiętam, że i Ty miałaś problemy ze swoim poczuciem równości, godności i niepodległości już chyba na etapie liceum. Jako przewodnicząca klasy nie miałaś łatwego życia z... panią psorką! Miewałaś też problemy z koleżankami, choć były to maleńkie problemy z dzisiejszego punktu widzenia.

Jak jest na antypodach? Też obserwujesz jakieś niespójności w ruchach kobiecych? Jaka jest kobiecość tam u Ciebie, w Australii, dla której sto lat to cała wielka epoka i w której są wielkie gospodarstwa rolne, tam kobiety są chyba znacznie bardziej wyemancypowane niż u nas?

Uściski, moja kobieto, córko najukochańsza...
Mamiszon

PS Tak czy siak, jakiś obiad muszę zrobić, pranie wywiesić, więc dzisiaj prosto i pysznie. Ziemniaki i śledź w śmietanie z cebulą i tartym jabłkiem. Jabłko po starciu natychmiast mieszam ze śmietaną – robi się pierzynka. Cebula – najlepiej cukrowa. Dużo! I pieprz cytrynowy.

Zupa kolorowa i warzywna – krem z pieczonej papryki i grzanka z serem. Dla lubiących mocniejsze smaki – z kozim serem! Posypana sezamem.

Mamuśku,

wiesz, temat feminizmu jest mi zupełnie obcy. Czytałam o tym w lekturach, coś tam się przewijało w prasie codziennej i periodykach, parę rzeczy usłyszałam od Ciebie... Mnie jednak jakoś zupełnie ta problematyka nie rusza.

No, może niezupełnie – pusty śmiech mnie ogarnia na przykład, kiedy facet pcha się przodem przez drzwi z hasłem „chciałyście równouprawnienia, to je macie" – bardzo częste, głupie i nieprzemyślane mylenie „praw" (zawiązanych najczęściej z zatrudnieniem, polityką płacową, dostępem do wyższych stanowisk, w tym stanowisk grających mniejszą czy większą rolę na arenie politycznej) z kulturą, szacunkiem i zwykłym dobrym wychowaniem. Jestem z pokolenia już wyzwolonego – pracuję, zarabiam i wydaję w sposób zupełnie samodzielny. Co więcej – zarządzam domowym budżetem, czyli de facto dwiema pensjami, bo Duży ma do tego dwie lewe ręce i przynosząc swój zarobek mówi: „Daj mi kieszonkowe, a z resztą zrób, co tam sobie uważasz". Mam niczym nieograniczony wstęp do wszystkich lokali i urzędów. Nikt nie narzuca mi stroju, fryzury ani wysokości obcasa. Nikt nie każe mi zakrywać twarzy ani spuszczać wzroku. Idąc po ulicy z mężczyzną, idę z nim krok w krok, a nie pół kroku za nim. Szczęściara ze mnie. Nie widzę tu dużych różnic pomiędzy Polską a antypodami – myślę, że przemiany społeczne na tle feministycznym toczyły się jednak w miarę równomiernie we wszystkich krajach europejskich i anglosaskich. Widzę również ogromne podobieństwa w podejściu mężczyzn do sprawy wyzwolenia kobiet. Wspomniane „chciały-ście, to macie" słyszałam głównie w ojczyźnie, to fakt. Tu nikt nie jest tak złośliwy – tu po prostu „kobieta też człowiek" i nikt się nie przejmuje kolejnością przechodzenia przez drzwi, otwieraniem tychże komukolwiek, odsuwaniem krzesła albo podawaniem ręki, by pomóc zejść ze schodka czy podestu. Mówiąc „nikt", mam oczywiście na myśli młodsze pokolenie, bo wśród starszych nadal można (na szczęście!) takie relikty wśród zachowań zaobserwować.

Ale widzisz, Mamuś, tu mi się nasuwa jedno przemyślenie. Otóż Sydney to miasto BARDZO otwarte i tolerancyjne w temacie różnorakich orientacji seksualnych, czy też, mówiąc bardziej kolokwialnie, „gejów tu jak mrówków". Cała wielka Oxford Street usiana jest klubami spod znaku tęczy i nikt nie widzi w tym nic dziwnego czy zdrożnego, chłopaki chodzą za rękę z chłopakami, dziewczyny się całują, miasto się bawi, hej! Tutaj na niektórych homoseksualistów, zwłaszcza tych drobniejszych budową, kobiecych, mówi się czule „wróżki" (*fairies*) i faktycznie, Mamuś – jak idzie taki wróżek, z pięćdziesiąt kilo wagi ledwie, a obok niego wyższa o głowę (głównie przez niebotyczne obcasy) kobita, to kto ma komu otworzyć drzwi? A kiedy idzie facet ramię w ramię z transseksualistą albo drag queen? Kto komu? Otóż nie ma to żadnego znaczenia! Nikt się nad tym nawet nie zastanawia, bo po co? Trzecia płeć, czwarta płeć – wszystko jedno, wszystko równe, więc tu akurat, jeśli facet pierwszy przekroczy próg, nie ma focha. Tego nasze przodkinie feministyczne nie przewidziały ☺. Ha!

Co do hejtu zaś… Eeeech, Mamuś. Pewne rzeczy nigdy się nie zmienią – baby stworzone są do mielenia jęzorami i kiedy kończą się miłe tematy, to się wchodzi na niemiłe. Te jakoś zapewniają wyższe ciśnienie tętnicze i zdecydowanie zwyżkujący poziom entuzjazmu wszystkich zaangażowanych. Nigdy tego nie zrozumiem, choć kamieniem nie rzucę, bo totalnie czystych rąk w tej kwestii też nie mam…

„Ta to jednak ma grubą tę dupę, co?", „oesu, takich butów to ja bym nie założyła", „ależ ona mnie wkurza tym swoim makijażem" – po co tak gadamy? Cholera wie… Warto by tu jakieś badania przeprowadzić, bo faktycznie jedna drugiej wilkiem i czasem aż wstyd ogarnia, na jak niskich instynktach jeździmy.

Zupełnie trzecią sprawą jest hejt internetowy – to już całkowicie nowy twór, który mnie przeraża, dlatego między innymi unikam netu, a już nigdy, NIGDY nie zostawiam komentarzy na forach ani portalach. Zdjęcie aktorki w sukience. Zwykła aktorka, zwykła sukienka. Komentarze pod spodem: „Brzydka", „Durna", „Fatalna ta sukienka", „Nie lubię jej", „Niech się lepiej schowa", „Wolę Mołek", „Jak idiotka wygląda". I dalej podobnie. Skąd ta immanentna potrzeba dokopania bliźniemu? Jestem jeszcze w stanie zrozumieć to w rozmowie z innym człowiekiem – większość z nas ma w sobie pragnienie potakiwania innym lub posiadania kogoś, kto będzie potakiwał tobie. Ale tak anonimowo, jednorazowo, na jakimś portalu, gdzie twój komentarz po pięciu minutach i tak jest już na stronie szesnastej? Nie pojmuję... Jak to zawsze mawiałaś, „bezinteresowna ludzka zawiść".

Nigdy w życiu chyba jeszcze nikogo nie nienawidziłam. Paru osób nie lubię, kilku nie toleruję, są tacy, którzy doprowadzają mnie do czystej furii, ktoś tam mnie zranił lub rozczarował. Naprawdę nie wiem, co musiałoby się wydarzyć, abym mogła kogoś „obdarzyć" nienawiścią – na myśl przychodzą mi paskudne czyny fizyczne, oszustwa, przekręty, kłamstwa, nadużycia... Co więc takiego robią ci biedni publiczni, że ich taka fala nienawiści dosięga? Taka na przykład Kasia Skrzynecka – nigdy nie byłam jej wielką fanką. Z czasem jednak zaczęłam czuć do niej coraz większą sympatię napędzaną głównie współczuciem i empatią. Co ona komu zrobiła, żeby co rusz zbierać takie cięgi? Żyje sobie swoim życiem, ze swoim mężczyzną i dzieckiem. Robi to, co umie i to, co jej wychodzi najlepiej, zarabia na tym jakieś tam pieniądze, czasem zapozuje na ściance, bo ją zaproszą, więc czemu miałaby nie iść. Powtórzę – czemu nie? Co jest złego w staniu na ściance? NIGDY na żadnym blogu, profilu czy wallu nie toczyła pyskówki z opinią publiczną, przyjmuje wszelką krytykę (nieraz podszytą żółcią i jadem) z pokorą i świętym spokojem. I szacun, i brawo, respekcik, pani Kasiu. Często myślę o niej właśnie, kiedy samą mnie spotka nieuzasadniona lub wyolbrzymiona w mojej opinii krytyka albo (co gorsze) kłamliwe plotki czy pomówienia.

Miałam chyba ze czternaście lat, siedziałam z koleżanką na kanapie i jeździłyśmy obrzydliwie po aktorkach jakiegoś serialu. Powiedziałaś nam wtedy: „A nie możecie czegoś miłego powiedzieć?". Głupio mi się strasznie wtedy zrobiło. Tak bardzo głupio, że pamiętam to do dziś. Oczywiście, nie czarujmy, tak jak czasem zapalę papierosa, tak nadal czasem skrytykuję jakąś Bogu ducha winną babę za brzydkie buty albo źle roztartą plamę pudru – *mea culpa*. Jesteśmy tylko ludźmi. Warto pamiętać, że z hejtem łatwo nie wygrasz, bo hejt to nałóg i jako taki napędzany jest przez pokusy i złe towarzystwo. Ale jest lekarstwo. Leczy przede wszystkim detoks i zmiana przyzwyczajeń na zdrowsze, przeprogramowanie mózgu – można rzec. Naprawdę staram się o tym pamiętać i wdrażać!

– Patrz, jak się roztyła – powiedziała jedna z dziewczyn.

– No, ale za to jak jej się ładnie włosy układają – odpowiedziałam.

Wszystko można odkręcić, to tylko kwestia dyscypliny – jak z każdym złym nałogiem.

A w ogóle wiesz co? Wiesz, czemu faceci nie wpadają tak łatwo w nałóg hejtowania? Bo im to wisi, Mamuś! Im to wisi, że miała podrabianą sukienkę, że jej się warkocz rozpadał albo że się przespała z żonatym! Kit tam z feminizmem – trzeba się chyba po prostu nieco wyluzować, bo co to wszystko nas w sumie obchodzi! O! ☺

Buziaki

Kultury!

Kochana Moja!

Ostatnie półrocze w Polsce to też (na marginesie sza-
lejącej polityki) różne pyskówki okołokulturalne choć
to jest, niestety, margines. Oj! Margines! Mało mówi
się o kulturze, chyba że wiąże się z jakimś skandalem.
Smutne.

I na tym marginesie ostatnich skandalików teatralnych wpadła mi do głowy taka myśl, że wraz z Ha-
nuszkiewiczem i Kantorem zakończyła się era przed-
stawień, które fascynują wystawieniem, pomysłem,
w tym także scenografią i kostiumem. POMIJAJĄC
oczywiście przedstawienia Mariusza Trelińskiego

i Borisa Kudlički w Teatrze Wielkim Opery i Baletu w Warszawie – to inna liga! Inny kosmos. Nie wiem, czy Ci się chwaliłam, ale miałam przyjemność być na spektaklu *Latający Holender* w ich pomyśle. Wagner w kałuży. Cała scena to płytki basen z wodą i tratwą plus tylne projekcje i światło. Niby surowo, oszczędnie, a jednocześnie jednak z rozmachem, bo woda w tym „morzu" (za każdym razem to siedemdziesiąt tysięcy litrów) musi być ciepła (podgrzewana!), inaczej artyści leżeliby z zapaleniem płuc do końca sezonu.

Nie lubię Wagnera ani arii śpiewanych po niemiecku, ale to przedstawienie podobało mi się, zapadło w serce. Podobnie jak *Eugeniusz Oniegin* mojego kochanego Czajkowskiego. Nie udawały się (moim skromnym zdaniem) Czajkowskiemu opery, a i ja jakoś nie przepadam za recytatywami, choć są arie, które (w wykonaniu Marii Callas) poruszają mnie tak, jak bohatera *Filadelfii* – pamiętasz? Przedstawienie *Oniegin*, dla mnie, uratowała scenografia i reżyseria. Bajeczny balet! I do takiego teatru warto iść! Po wzruszenie, zachwyt, zamyślenie. Czym się wbił w pamięć naszego pokolenia Hanuszkiewicz? Pomysłami, w których nie ma miejsca na wulgaryzmy i gołe tyłki, byle tylko zaepatować widza. *Wesele* Wyspiańskiego wystawił w entourage'u szopki krakowskiej (słynna scenografia

Adama Kiliana), a *Balladynę*, jak wiesz, usadził na małych hondach. Ostatnim, który mnie w młodości ujął swoim przedstawieniem, był dyskusyjny Jan Englert, który jako pierwszy odszedł z *Hamletem* od kostiumów typowych dla epoki na rzecz współczesnych skórzanych spodni. Wtedy to była „pierwszyzna".

Od kilku lat sztuki napisane kiedyś przenoszone są na scenę współczesną, gdzie natychmiast ubiera się aktorów w „normalne" ciuchy, żeby „nadać sztuce charakter uniwersalny" – a po prawdzie z powodu braku kasy – czyli łopatologia na maksa, nie uważasz? To wspaniała zabawa dla widza oglądać Moliera w kostiumach i zamyślać się nad tym, jakie to współczesne, a nie widzieć Skąpca w sztruksowych spodniach z lumpeksu i trampkach. Straszne uproszczenie i papka dla widza. Mały Rycerz w kalesonach i jeansowej kurtce, Podstolina w niezbyt gustownej kiecce z elastanu etc. – oto dzisiejsi starzy mistrzowie w nowej odsłonie. Nuuuuuuuda. To już było i już nie zachwyca.

Reżyser myśli, co dalej? No to wprowadźmy nowomowę – więc król Jagiełło albo Cześnik tęgo sypią „kurwami" ze sceny, bekają i pierdzą – no bo musi być jakoś na nowo! Smuuuuuut! A może poepatujemy golizną? Panie aktor! Rozbieraj się pan do rosołu i pani też! Niech się wściekną mohery! Pokopulujcie trochę!

Jak daleko pójdą panowie reżyserzy z transgresją (to ostatnio bardzo modne słowo)? Jak często, gdy okazuje się, że ludzie średnio to kupują albo wcale, oni krzyczą gniewnie, że jesteśmy matołami i niczego nie kumamy?

A może nie tędy droga?

I czemu dzisiaj rozwój kultury koniecznie musi się odbywać wyłącznie przez łamanie konwencji i przekraczanie granic? Z samego łamania i przekraczania nie wynika na razie nic, co by zachwyciło. U Trelińskiego i Kudlički bardzo nowatorskie pomysły idą w parze z tradycją, zwłaszcza muzyką i tekstami. Mamy zafalować z zachwytu, a nie zażenowania.

Niestety złą prasę u naszych ostro krytykujących krytyków mają teatry, w których widz dostaje to, co lubi – dobrze podany TEKST autora, nieskalany nienapisanymi ani nawet niepomyślanymi wulgaryzmami, wymysłami „żeby go odczytać na nowo", nie licząc się z tym, że autor od dawna nie żyje i nie może krzyknąć „PRECZ!" w swojej obronie. Tu kostiumy są na miarę możliwości, ale są, a nade wszystko teatr zwyczajny, klasyczny, daje widzowi frajdę, bo po to wyszłam z domu, żeby zobaczyć coś, czego w mediach nie ma! Płacę za to, że wchodzę jak do Narnii, w której nikt mi nie bluzga ze sceny, nie sika na mnie, nie epatuje chamstwem, obsceną i chwilowymi sensacjami. Daje mi banalną albo niebanalną rozrywkę, ucztę albo tylko zamyślenie, choćbym płakała w ciemnościach wzruszona sztuką. Podobnie też z rodzajem pyskówki zamiast rozmowy na łamach prasy, która toczyła się jakiś czas temu, bo napisałam gdzieś oficjalnie, że mam potąd nagradzania wyłącznie smętów, że najwyżej nagradza się u nas obsceniczność, krew, spermę i łzy.

Brak mi nagradzania książek, które dają mi rodzaj zadumy, zachwytu, wiedzę i wzruszenie, jak choćby *Miłość w czasach zarazy* Márqueza czy dawno zapomniana *Saga rodu Forsyte'ów*, współczesne powieści o światach, w których niekoniecznie ludzie rżną się, mordują i gwałcą, ale może myślą, przeżywają różne rzeczy, poruszając, ucząc, bawiąc? I kiedy to napisałam, prostaczkowie w komentarzach i krytyce rzucili się na mnie, imputując mi, że żądam (?!) nagradzania „różowego kitu", czyli romansów dla kucharek i grafomańskich knotów. Co za poziom ignorancji i niemyślenia! Skakania po ekstremach! O dziwo, pyskówka przeniosła się na Facebooka i toczyła ponoć na ostro, dzieląc ludzi na zwolenników mojej skromnej teorii, w której nikomu nie ubliżałam i nikogo nie obrażałam, i zwolenników dwóch panów frustratów w średnim wieku, którzy się zapomnieli (albo doskonale to wiedzą, ale z braku innych argumentów...) i polecieli raczej ad personam niż ad rem. Bo całą sprawę cudownie podkreśliła publicystka Kaja Malanowska: „Tymczasem polska twórczość cierpi na chorobliwą pogardę w stosunku do wszelkich przejawów konwencji oraz dotkliwy brak powieści środka. Ta ziejąca pustką dziura wywiera poważny wpływ na całość współczesnej polskiej literatury. Być może winę za tę sytuację ponosi nasz sposób myślenia, którego tak uparcie bronimy".

Wyszło dość górnolotnie, ale chciałam Ci trochę przybliżyć mój ogródek, w którym nie tylko tulipany, marchew i morele. Gdybyś tu była, pewnie obgadywałybyśmy to, zajadając się obiadem. Pewnie wtrącałby się Siwy albo tłumaczył Twojemu Dużemu, o czym paplamy, a po deserze zabrałby Dużego nad staw, na ryby.

À propos ryb! Skarżysz się, że nie jesteś dobra w ich przygotowaniu? Ja też nie, ale lata robią swoje, więc Ci podsunę takie uwagi:

Ryby nie lubią być na patelni za często mieszane i przewracane, ponieważ są kruche. Do panierki szeroka szpatułka i najmniej czynności. Na jednym boku, na drugim i cześć. Nie za grube te kawałki, bo choć ryba szybko dochodzi, to jak jest zbyt silny gaz, w zrumienionej skorupce możesz znaleźć surowiznę.

Pamiętasz tempurę? – Bardzo lubimy, bo odkryłam u nas łatwo dostępną mąkę ryżową, która jest kapitalną „panierką". Ciut soli i do tłuszczu na patelnię. UWAŻAJ na tłuszcze! Bardzo szkodzą te tanie oleje. Kupuj na przykład olej ryżowy albo mieszany kokosowy z ryżowym i arachidowym – mają wysoką temperaturę dymienia. Do mocno rozgrzanego tłuszczu w garnuszku albo wysokiej patelni wrzucaj kawałki białej ryby lekko osolonej i wytarzanej w ryżowej mące. Żadnych jajek! Możesz też pokroić cukinię w plasterki, dodać różyczki brokułu i lekko podgotowaną marchewkę w cieniutkich plastrach. I smażyć w tłuszczu jak rybę.

Musisz już mieć wszystko przygotowane i nakryte – nałożone surówki (oj, najlepsza do ryby jest jednak kiszona kapucha, albo kup koreańskie kimchi) i sos taki jak do sajgonek. Wyjmuj kawałeczki tempury na ręcznik papierowy i na półmisek! Do tego zimne piwo i Duży oszaleje!

U nas dzisiaj podobnie, smażony sandacz.

Podaję go na warzywnym purée. Do garnuszka wrzucam razem marchew, kawałki selera i ziemniaka. Dodaję ciut wody, mleka, kminku i soli (my używamy tej light, o niskiej zawartości sodu), tak żeby woda się całkowicie wygotowała, a warzywa były miękkie. Duździam jak ziemniaki i nakładam na talerze specjalną łyżką – półkulą (jak do lodów). Na to po dwa wąskie kawałki sandacza i surówka z kapuchy ukiszonej przez Siwego (wyjadałabyś ją paluchami, taka jest pyszna!).

Staramy się jeść coraz więcej ryb, bo tak zdrowiej.

Pamiętasz jak robić coquilles Saint-Jacques, czyli muszle świętego Jakuba? To cudowna przekąska na romantyczny wieczór!

Odcinasz woreczek trzewny i rozdzielasz biały medalion od różowej części. Na patelni rozgrzewasz oliwę z winogron z łyżką masła ghee i kilkoma wiórkami czosnku. Wrzucasz mięsko i obsmażasz po minucie z każdej strony. Podlewasz białym winem, i już!

Na talerzu połóż umytą muszlę, jeśli kupiłaś z muszlami, i ładnie rozłóż. Podawaj z bagietką i cytryną. Wino białe, schłodzone, musujące półwytrawne.

Może na Wasza rocznicę?

I tak od teatru, czyli elementu kultury, przeszłam lekko do sandacza, ale… w naszych rozmowach często robimy takie piruety!

Czytelnik nadąży! Nie martw się! Wieczorem oglądałam długi dokumentalny film o genialnej Madeleine

Eastoe z sydnejskiego baletu. Zachwyciły mnie fragmenty *Jeziora łabędziego* w choreografii Graeme'a Murphy'ego, jakże inne od dość skandalizującego *Swan Lake* Matthew Bourne'a w męskiej obsadzie i o zabarwieniu gejowskim. (Wspaniały!).

Kochana Moja, jak przyjedziemy, to może wybrałabyś się z nami do opery? (Tylko trzeba byłoby wymodlić, żeby akurat to wystawiano).

A na razie cisza i spokój.

Jedyna rozrywka Siwego to jutrzejszy odpust w pobliskim miasteczku. Dziś te jarmarki są takie smutne! Pełno kramów, ale na nich żadnych glinianych misek, kogutków, drewnianych łych i kopyści, nawet piernikowych serc z napisem „Kocham Cię" nie ma... Na straganach jest za to tanie badziewie zabawkowe chińskiej produkcji... *O, tempora.*

Ściskam Was kulturalnie.

Mama

O, Mamo!

Nie ma co debatować, ja się z Tobą całkowicie zgadzam! Do opery w Sydney? Chętnie! Madeleine Eastoe nie widziałam i chyba *Jeziora łabędziego* też.

Nawiązując jednak do Twoich rozterek – dwa lata temu poszłam na przedstawienie *Love Never Dies*, czyli, mało chyba popularną, drugą część *Upiora w operze*. Część pierwszą widziałam jeszcze w Warszawie, do dziś pamiętam ten olbrzymi i jakże ważny dla finału żyrandol, pamiętam bagno, które pojawiło się na scenie, parujące, mokre i mroczne. Część druga zapierała dech w piersiach równie mocno! Scenografia, stroje, teksty, atmosfera, emocje! Nic nie było symboliczne – wszystko było wykonane dokładnie tak, jak wymaga scenariusz, z kunsztem, ciężkim wysiłkiem i zaangażowaniem. Fenomenalne!

Swego czasu szwendałam się po warszawskich teatrach. Wciąż pamiętam rewelacyjne *Szalone nożyczki* (o czymś to świadczy, że to przedstawienie nie schodzi z desek Teatru Kwadrat od piętnastu lat, w Stanach Zjednoczonych ponoć od trzydziestu!), za to niewiele mogę sobie przypomnieć z „nowatorskich" adaptacji Szekspira w Dramatycznym. To, do czego nawiązujesz – skórzane kurtki, skutery, przekleństwa –

miało chyba na celu przyciągniecie młodszej widowni i uproszczenie przekazu. Niestety pacjent zmarł – młodzi wcale się novum nie zachwycili. Paradoksalnie jedyny znany mi młodzieniec, który podejście dyrektora artystycznego Piotra Cieślaka do klasyki doceniał i zdawał się rozumieć, był teatralnie wykształcony i łopatologii nie potrzebował. Ci, którzy nie przebrnęli przez elżbietańskie lektury, nie ruszyli jakoś szturmem na spektakl wypełniony wulgarnym słowem i ciałem. Nie wiem, dla kogo sztuki tworzy skandalista Jan Klata, czasem jednak mam ochotę krzyknąć: „Halo! Król jest nagi!!!”. Ale kto mnie usłucha?

Nic to, Mamuś, tak zawsze było i będzie, na świecie jest miejsce na wszystko – na klasykę i na nowatorstwo, na konserwatyzm i wulgarność, na sztukę wysoką, niską i całkiem wyśrodkowaną (na szczęście!). Ja na razie będę się trzymać swojego gustu i już niedługo wybieram się na estradową wersję *Dirty Dancing*!

Swoją drogą, popatrz, jak niektóre rodzaje kultury i sztuki umierają bezpowrotnie. Pamiętam, że byłam kiedyś z babcią na operetce, chyba *Księżniczka czardasza* – dziś nie wiem nawet, czy ktoś jest w stanie mi podać definicję operetki. Sama musiałam się wesprzeć Googlem, bo to, że widziałam, nie znaczy, że wiem, o czym mówię. Niewiele zostało już teatrów lalek – warszawski Guliwer chyba jeszcze się trzyma? – a marionetki widuje się już głównie w filmach, choćby nawet w *Shreku*, i na satyrycznych grafikach. Zamiera sztuka rzemieślnicza – mam tu na myśli sztukę wiejską czy plemienną, choć może „zamiera" to złe słowo. Przekuta zostaje w komercyjne produkty użytku codziennego, a produkcja przesuwana jest do Azji, co wypacza całą ideę. Widziałam ostatnio w Krakowie sex-shop z erotyczną bielizną ozdobioną motywami kwiatowymi rodem z łowickich czy kaszubskich wycinanek i bikini z koniakowskich koronek. Ba – koniakowskie koronczarki doczekały się całego sklepu internetowego z „seksowną stroną koronki"! Dasz wiarę?

Już dziesięć czy piętnaście lat temu na warszawskiej Starówce gościliśmy „prawdziwych" Indian grających swoją „ludową" muzykę w towarzystwie podkładu z boomboxa i sprzedających nagrania na płytach CD. To samo robią australijscy Aborygeni – siedzi taki delikwent na macie, dmucha w didgeridoo, czyli aerofon w formie długaśnej rury, biodra ma owinięte skórzaną przepaską, a obok leży iPhone. Oczywiście sklepy z pamiątkami przepełnione są bumerangami, T-shirtami i breloczkami z „autentycznymi" aborygeńskimi rysunkami. *Made in Bangladesh.*

A tak przy okazji – czy wiedziałaś, że „Aborygen"
pochodzi z łacińskiego *ab origine*? Oznacza to „ten,
który był tu od początku". Gdyby nie pomyłka Ko-
lumba, Apaczów nazywaliśmy prawdopodobnie Abo-
rygenami amerykańskimi, a tutejszych – australijski-
mi. I mimo że Australia należała do nich od jakichś
pięćdziesięciu tysięcy lat, biały człowiek im tę ziemię
odebrał, a wraz z nią wszelkie prawa i przywileje, tak
samo jak w Ameryce. Obecnie spotykani Aborygeni
to tak zwane „skradzione pokolenie" – ludzie poddani przymusowej asymilacji, oderwani od rodzin i do-
bytków, przymuszeni do zachodniej edukacji, kultury i obyczajowości. Zarówno skradzione pokolenie,
jak i ich dzieci (nieraz rasowo mieszane) nadal nie
mogą się odnaleźć w rzeczywistości. Wśród nich jest
olbrzymi odsetek bezrobocia i alkoholizmu, a choć
współczesny rząd stara się wprowadzać praktyki ota-
czające aborygeńskie tradycje opieką i szacunkiem, to
krzywda się już stała. To potwornie smutny widok.
Z jednej strony wiem, że cywilizacja to pociąg, który raz wprawiony w ruch raczej się już nie zatrzyma.
Albo wsiadasz, albo cię rozjedzie. Z drugiej jednak
strony marzy mi się, aby pewne grupy etniczne, ple-
miona zostawić w świętym spokoju. Aborygeni to lud
względnie pokojowy, zbieracze i rybacy prowadzący

spokojny, wyizolowany tryb życia, bez żadnych skłonności aneksyjnych. Problem w tym, że nawet fanatykom ratowania kultury aborygeńskiej rzeczeni nie ułatwiają zadania – czy wiesz, że żadne z narzeczy aborygeńskich (tak, jest ich wiele...) nie posiada formy zapisu? Żadnych znaków, hieroglifów, cyrylicy – nic. Jedyne więc próby odtworzenia tych umierających języków opierają się na fonetyce – tak też spisana jest aborygeńska wersja hymnu Australii, przez ludność endemiczną jednak odrzucona jako sztuczny, kłamliwy, PR-owy twór niemający wiele wspólnego z bardzo przykrą rzeczywistością.

Zanim tu przyjechałam, moim jedynym pojęciem o Australii były sceny z takich dzieł kinematografii jak *Krokodyl Dundee*, *Mad Max* czy *Wesele Muriel*, więc pojęcie to było niewielkie. Dziś uważam, że tak jak większość z nas choć raz w życiu obejrzała jakiś film czy materiał dokumentalny o Kolumbie, Gandhim, Mandeli, Holokauście, amerykańskim niewolnictwie czy rosyjskich łagrach, tak każdy powinien obejrzeć film *Polowanie na króliki*, który w przepiękny, niehollywoodzki, a podobno realistyczny (niestety, nie jestem tego w stanie sama ocenić) i rozdzierający serce sposób pokazuje historię straconego pokolenia. Mamuś, obejrzyj – to materiał obowiązkowy w edukacji o tym kontynencie. Wstyd mi, że nigdy wcześniej o tym nie wiedziałam, że nikt nawet nie otarł się o ten temat na zajęciach z geografii lub historii świata w liceum, że nigdy nawet się nad tym tematem nie zastanowiłam.

Dziś jest już za późno, o Aborygenach mogę głównie poczytać na Wikipedii, może kiedyś się wybiorę do jakiegoś rezerwatu, choć mierzi mnie samo pisanie o tym, jak o wizycie w jakimś muzeum osobliwości. Nie chcę oglądać ich zza płotu, jak ogląda się zebrę w zoo – myślę, że dla człowieka to jednak uwłaczające. Dzisiejszy dostępny mi Aborygen śpi na ulicy upojony tanim winem, ubrany w koszulkę futbolową Saint George Illawarra lub gra na deptaku na swoim didgeridoo za drobniaki w towarzystwie dudniącego boomboxa. Oni sami już chyba całkiem poddali się naporowi Zachodu, bez walki, bez rewolucji. Kto wie, może dlatego, że nie mieli szans w starciu z naszą agresją i zaawansowaną bronią. A może dlatego, że każdy Aborygen i tak powróci do „czasu snu", równoległego bytu, z którego bierze się wszelki początek i gdzie zbiegną się wszystkie końce.

I widzisz, Mamuś, kultura Aborygenów umiera, choć nawet po pobieżnym zapoznaniu zdążyła mnie zaciekawić swoją mitologią, niezwykłością języka, zupełnie niepodobnego do jakichkolwiek znanych nam języków, niesamowitą sztuką opartą na setkach kolorowych punkcików. A śmiało powątpiewam, czy kultura agresywnego, wulgarnego i kipiącego od negatywnych emocji przekazu niektórych dzisiejszych sztuk teatralnych kiedykolwiek zafascynuje jakieś nasze przyszłe pokolenia lub – nie wykluczajmy tego! – najeźdźców z kosmicznego „skądinąd".

Dobranoc, Mamuś.

Miałam ciężki dzień, a jutro mam szansę porządnie się wyspać!

Czy mogłabyś przynieść mi pajączka…?

Kochana Moja!

Pamiętam, kiedy pierwszy raz z żartem i humorem komentowałyśmy przypadek babci-prababci. Miała już swoje lata, była uroczą starszą panią, a tu właściwie znienacka moja mama, czyli jej pasierbica, dowiedziała się, że z babcią-prababcią jest kiepsko. Możesz tego nie pamiętać, ona mieszkała z młodszą siostrą – Ireną, sprawną i dość nerwową osobą, daleko od nas. Nie widziałyśmy na co dzień, jak się prababcia starzeje, więc kiedy Irka jakoś przypadkiem opowiedziała mojej mamci, że prababcia, gorliwa katoliczka, wraca z codziennego nabożeństwa dosłownie usikana, nie chciało nam się wierzyć. „…w butach jej chlupie!" – grzmiała Irena, bynajmniej nie dlatego, że sam fakt ją jakoś oburzał, bo była pielęgniarką, ale dlatego, że prababcia za nic na świecie nie dała się zabezpieczyć pieluchami… Dama! ONA i pieluchy?! *Fi donc!*

Minęły lata, w międzyczasie miałyśmy różne przygody z naszymi starzejącymi się dziadkami, babciami. Alzheimer albo najzwyklejszy uwiąd starczy zamieniał znane mi i Tobie osoby, dotąd poważne, będące autorytetami albo zwyczajnie szanowanymi Starszymi, w głupiutkie istoty. Zagubione, niedołężne, czasem znienacka błyskające brylancikiem pamięci, a zaraz potem bredzące bez sensu, robiące głupoty. Biologiczne kasowanie plików…

Babcia Hela nagle wpadła w szał rozdawania dóbr każdemu, kogo zobaczyła przez okno. Wujek Stach skupił się tylko na ziemniakach, których absencja na talerzu była głównym tematem danego dnia, a poza tym nic go nie interesowało. Babcia Marynka gotowała zupę z mieszanki jesiennej Hortexu i… pierogów z truskawkami (razem), paliła jednego papierosa za drugim, bo zapominała, że dopiero co zgasiła. Też była usikana i też za skarby nie chciała uznać pieluchomajtek… Za to stryjenka Zocha, babcia

Jasia i Jureczek odeszli w pełni władz, bo ciało zasłabło, zmęczone nie chciało już dalej funkcjonować i stopniowo wyłączało jedną sekcję po drugiej, a czasem doplątywało się jakieś raczysko, guz, który szybko załatwiał i tak chorego człowieka.

Teraz mamy kolejny kłopot…

Opisałam to na blogu, więc wkleję Ci:

No i stało się. Przewrócił się we własnym domu, złamał kość szyjki udowej – senny koszmar starych ludzi. Tatko ma mnóstwo lat i z tego cieszymy się ogromnie. Pisałam o nim kilka postów wstecz. Uroczy starszy pan, mieszka sam, bo wdowiec, ale córka i wnuki są u niego właściwie codziennie.

No to co się stało?! Ano dywanik…

Pamiętam to z czasów, gdy mama była z nami, a i z domu teściowej, że starsze panie mają skłonność do dywaników. Marzną im stopy, więc dywaniki są wszędzie, nawet w pokoju, w którym jest wykładzina dywanowa od ściany do ściany. Przy fotelu leży dywanik, „bo tu się bardziej wyciera", na fotelu kocyk, „bo się wysiedzi", na oparciu lniana serwetka, „żeby się nie brudziło od głowy". W hallu dywanik, co się da zrolować do sprzątania, ale za krótki, więc dosztukowany jakimś innym dywanikiem, i pod drzwiami jeszcze jeden, „żeby nie ciągnęło", i w łazience też dywanik, żeby wyjść z wanny „na ciepłe", i drugi koło kibelka, żeby nie marznąć w stopy, jak się siedzi. I pośrodku też, żeby tak nie ciągnęło od podłogi.

Nasze mamy i ojcowie, starzy i niedołężniejący, już nie będą robić przetworów, ale na wszelki wypadek na antresolce albo na werandzie, balkonie, w starej szafce kuchennej mają skład słoików i butelek, na półkach w pokojach wszystko, co otrzymali w darze od życia, czyli miliard stoidełek, wazonów, porcelanowych filiżanek, z których nikt nie pije, i zajączek jest, i święty Mikołaj, co został po świętach, kartki od przyjaciół i wnuków – „Zobacz! Napisana długopisem! To od Tadzia!", kryształy – „ten, zobacz, dostałam, gdy szłam na emeryturę!", i mnóstwo innych serwetek, ślicznych łabądków z papieru – „Kasia zrobiła sama na pracach ręcznych!", i popielniczka z papieżem, czysta, bo tu nikt nie pali.

Wiem, wiem… sama się przywiązywałam do tych durnostojek i gromadziłam przydasie. Zdaje się, że nadal to mam, choć właściwie córka lata temu uleczyła mnie z tego skutecznie, a było i kilka kradzieży, które mnie ogołociły z takich tam… rodzinnych duperelek.

Czemu ja o tym w kontekście szyjki udowej? Bo laska tatki oparła się o dywanik, a ten poszedł w ślizg i… tatko walnął o podłogę.

To nam dało do myślenia.

Jesteśmy źli na siebie. Trzeba było MYŚLEĆ! Przewidzieć to, próbować wynegocjować owe słoiki i butelki, nadmiar zbieraczy kurzu i szmatek dywaników, które są dla starszych ludzi niebezpieczne. I niepotrzebne.

Tatko dałby się przekonać, bo mądry jest i nieupierdliwy, ale uważaliśmy, że te dywaniki to pozostałość z dawnych lat, gdy mama je tu ułożyła (ale oboje byli jeszcze bardzo sprawni...) i może niezręcznie je z nagła wywalać? Tatko się do nich przywiązał – sądziliśmy. Trzeba było zauważyć, że to niebezpieczne i położyć w hallu wykładzinę, a w łazience coś, żeby nie było lodowatej podłogi, i żeby tylko nie te dywaniki!

Teraz trzeba będzie, tak czy siak, opróżnić pokój z miliona wspomnień i wstawić porządne ortopedyczne łóżko, bo tatko poleży długo, a przy takim zagraceniu nie będzie jak go obsłużyć.

Starzejemy się. Mam ponad pięćdziesiąt pięć lat... Wydaję się sobie sprawna i lekka, ale czas szybko biegnie. Czując się jeszcze na siłach, myślę o tym, że i ja kiedyś muszę zadbać o nasze domowe BHP, bo wspominajki, przydasie, dywaniki, serwetki, schody i progi, śliskie chodniki, wilgotna podłoga w łazience czy kuchni mogą sprawić kłopot nie tylko starym, ale i młodszym, którzy muszą poświęcić sporo czasu albo pieniędzy, żeby zapewnić opiekę mamie, tacie, cioci, dziadkowi, gdy ci fikną i złamią rękę, kość biodrową, cokolwiek.

Czekaliśmy niecierpliwie, bo wzięto go na stół, a on ma przecież dziewięćdziesiąt lat! Może się nie wybudzić, może mu się pogorszyć i za kilka dni kolejne sekcje padną, a wiemy, że nerki słabe. Rozmawialiśmy:

– Wiesz, kochanie (to ja do Siwego), tata jest silny i otoczony miłością, więc gdyby nie operowano i musiałby na przykład leżeć w domu opieki, to pomyśl, jaki to dla niego dramat! Nie jego pokój, nie jego zapachy, nie jego fotel. Nie mógłby też być SAM w domu, kiedy wszyscy pracują! A jak operacja się uda, też na dwoje babka… Może się wdać zakrzepica, zapalenie płuc czy inne coś, i wiesz…

– …wiem – mówi głucho Siwy.

Ciężko mu. To tatko. Rozmawiamy o mamie, o tym, w co wierzyli oboje, i że może już pora na odpoczynek? Bo, oczywiście, człowiek kurczowo trzyma się życia, ale przychodzi moment, że świat, nawet ten najbliższy, nie jest już fajny. Rodzina zapracowana, nie można żądać ich stałej obecności. Samemu nie da się rady, na obcych liczyć? Dzisiaj?! Dom opieki w Polsce zawsze jawi się jako ZŁO. To trochę przez media pokazujące sensacje, a nie pokazujące domów fajnych, przyjaznych. Zresztą nie mamy takiej kultury jak Amerykanie z ich domami opieki nawet na średnim poziomie, ale z serdecznością opiekunów. Tam się szanuje pracę, jest też masa kamer, więc nie daje się babciom kuksańców.

Nadto świat pokazywany w mediach więcej boli i straszy, niż cieszy, więc tatko nie rozumie go coraz bardziej.

Staram się to tłumaczyć Siwemu, który to wszystko wie. Z jednej strony wie, że dziewięćdziesiątka to i tak świetny wiek i że tatko nie będzie żył wiecznie, a z drugiej, sama wiesz. Miłość – nasza najzwyklejsza miłość…

Tatko zmarł, ciało umęczone nie dało rady.

Śmierć dosłowna, bliska i namacalna dosięgła mnie kilka razy. Raz zamiast kolegi musiałam być w kostnicy przy zamknięciu trumny, żeby zapewnić (jako ktoś z rodziny), że tak, to jest Maria D., a wtedy, gdy pod oknami bandyci przejechali pana w dresie, który wyszedł z psem pobiegać, to było bardzo, bardzo mocne. Ukradli samochód, pal ich sześć, ale, uciekając, przejechali człowieka. Rozpętała się za nimi pogoń, dołączyło się CB-radio, policja, pamiętasz? A mnie szlag trafił, jak ludziska przyszli napawać oczy tym przejechanym panem. Wzięłam z szafy prześcieradło i pobiegłam. Nakryłam go i wrzasnęłam do tłumu: „No, już! Do domów!". Sąsiad mnie przytrzymał za rękę, bobym jeszcze coś warknęła. Potem z nim, w kucki, obok tego nieboszczyka, czekaliśmy na pogotowie. Chyba przez to prześcieradło głaskałam go po ramieniu, jakby... uspokajając. Dziś nie wiem, czy jego, nieżyjącego już, czy siebie?

Wracam do początku – pamiętasz, jak żartowałyśmy o tym końcu naszej egzystencji? Oswajałyśmy te śmierci rodzinne, gadając, żartując sobie, żeby nie popadać w dziwny, i szczerze mówiąc, głupi lęk przed czymś tak ostatecznym jak śmierć. Kres – tak, ale te okoliczności towarzyszące...

Tu masz piękny i prosty, bardzo filozoficzny i krótki tekst Jerzego Pilcha: **„Życie się składa ze złudzenia wieczności i z przerażającej utraty tego złudzenia".**

Opowiadałam Ci, jak bardzo nie chciałabym być usiusianą babcią, dlatego zreperowałam sobie pęcherz. Z czasem może być różnie. Mogą wysiadać różne sekcje, choć staramy się dbać o siebie. Rok temu wykupiłam nam obojgu taki kupon na sprawdzenie pięciu różnych markerów nowotworowych, osobnych dla pań i panów, i komplet badań laboratoryjnych o charakterze diagnostycznym. Na razie jest OK.

Ćwiczę w sobie nawyki sanitarne, żeby nie popaść w dziwny lęk ludzi starych przed... kąpielą. Zauważyłaś? Tylko nasza Jasia kąpała się do ostatnich swoich dni, a inni – jakoś nie bardzo. Może to lęk przed wychłodzeniem? Ostatnio jest bardzo zimno, choć to koniec sierpnia, w nocy temperatura spada nawet do siedmiu stopni i wieczorem w łazience jest zimno. Jak wychodzę z wanny, to szybko otulam się zimowym, ciepłym, puchatym szlafrokiem, a i tak czuję ten chłód. Staruszkom jeszcze bardziej wszystko marznie. Tatko nawet latem nosił ineksprymable.

Swoją drogą, cudne określenie kalesonów, co? Babcia Marynka czasem mówiła „założyłaś niewymowne"? Ale oczywiście żartowała, słowa „ciepłe majtki" jak najbardziej umiała wypowiadać bez rumieńca.

No i skradam się do meritum. Wiem, coraz bardziej wiem, widzę to, że się starzeję. Nie tylko zmarszczki, ale i figura, skóra, niepiękna ja jestem w lustrze. Fizjologia, co Ci będę pisać – widzę, że nie działam jak dwudziestolatka. Zapach jakiś inny niż za młodu, sztywne włoski na brodzie, których nie widać w lustrze bez okularów, i inne tam... I mój Siwy też się zużywa, mimo ogólnej dbałości o siebie, badań, sportu, diety...

Wiesz, co mnie niepokoi? Twoja nieobecność. Obiecałaś mi kiedyś, że jak będę wdową, jak zacznę odfruwać w głupoty i bezsens, gdy rozsądek i jaźń wymówią mi służbę, zrobisz z tym coś sensownego. Ja nikomu nie powiem! Obiecałam Ci. Nie żeby zaraz jakaś eutanazja, ale rodzinne, humanitarne ułatwienie odfrunięcia.

Wiem, wiem... strasznie to poważny temat, ale ja mam gdzieś wszelkie religie i filozofie, to mielenie tego mnie nuży. Gdybym była blisko, a Ty wiedziałbyś, że ja już jestem gotowa, przyniosłabyś z podwórka tego pajączka, który tam u Was w Australii tak ładnie umiałby załatwić sprawę... Nawet nie bałabym się, wiesz? Z Twoich rąk przyjęłabym to jak bilet do innego świata! I... życia bez Siwego wyobrazić sobie nie umiem. Umrę, jakby co, razem z nim.

Wybacz, że poruszyłam ten temat, ale po *Lilce* jeszcze łatwiej mi rozmawiać o śmierci, o TYCH problemach.

Przytulam Cię – Mama

Mamuś,

boję się śmierci. Boję się strasznie i panicznie, tak jak ciemności, bólu i samotności. Śmierć może i można oswoić, może i można się pogodzić z jej nieuniknioną naturą, może nawet można się na nią przygotować, ale ja oswojona, pogodzona ani przygotowana nie jestem.

Głupie to może, niedojrzałe, infantylne czy płytkie, boję się jej bardzo i staram się o niej nawet nie myśleć... Może to to, o czym piszesz – strach przed utratą kontroli, żal nad tym, czego się już nie zobaczy i nie doświadczy, żałosna próba udawania, że jestem wieczna i nieśmiertelna? Nie wiem. Wsłuchuję się w siebie, w ten strach, grzebię w nim delikatnie, ale nie mogę za nic w świecie dogrzebać się do przyczyny.

Pamiętam, jak kiedyś szłam sobie spacerem ulicą Solidarności, tam między sądami a kinem Femina, pamiętasz? Tam są takie bardzo wysokie, stare kamienice, szare, porządne, nieźle utrzymane. Szłam sobie wzdłuż tych kamienic i nagle, tuż pod moimi stopami, tuż przed moją twarzą, błyskawicznie i zupełnie bez ostrzeżenia coś mignęło i runęło o ziemię z paskudnym, miękkim, zupełnie do niczego niepodobnym łomotem. Łomotkiem właściwie, bo obiekt nie był duży.

Kot, Mamuś. Czarny kiciuch. Musiał biedak się potknąć, wędrując po parapecie, może się zamachnął na wróbla albo ważkę, może za bardzo ufał swojej słynnej kociej równowadze, może zbyt serio brał powiedzenie o lądowaniu zawsze na czterech łapach... Spadł. Nie na łapy, bo spadł ze zbytniej wysokości i widocznie go w locie przekręciło. Na bok spadł i pewnie pękło mu od impetu serduszko albo nerki. Pamiętam to jak dziś, choć minęło już z pięć lat – pamiętam ten dźwięk, pamiętam, jak wyglądał na tym chodniku, pamiętam, że umarł jakieś pół sekundy po upadku. Widziałam to, Mamuś, widziałam śmierć. I nie wiem, czy ze smutku, z szoku, z żalu czy ze strachu, ale popłakałam się tam nad tym kotem. Może od tego czasu się boję?

Jestem nieźle wykształcona, sporo czytałam swego czasu, nie jestem też jakoś specjalnie głupia, wiem więc, że religia czy ezoteryka powstała w dużej mierze właśnie po to, aby temat przemijania wygładzić, uspokoić jednostki, że nie ma się czego bać, bo to nie koniec, tylko przejście do jakiegoś „dalej". I z przerażeniem zdaję sobie sprawę, że wszelkie dowody naukowe wskazują, że jedyne „dalej" to powoli gnijąca trumna i przemiana w kompost. Dlatego mój wyedukowany i racjonalny mózg mimo wszystko w „dalej" wierzy.

To jak z efektem placebo – nawet jeśli rozumiesz jego działanie, nadal możesz być na niego podatny. I w tej podatności nie ma absolutnie nic złego.

Wierzę więc z uporem godnym lepszej sprawy, że koniec to nie koniec. Że coś tam jednak za drzwiami czeka. Że energia w jakiś sposób wraca do obiegu, jest recyklingowana, nie znika ususzona i zmielona w biblijny proch zżerany powoli przez robaki i florę bakteryjną. Muszę, Mamuś, w to wierzyć, bo inaczej zwariuję. Inaczej strach mnie sparaliżuje i nie pozwoli dalej żyć! Tyle błędów, tyle zmarnowanych szans, tyle niewypróbowanych rzeczy, tyle ominiętych dróg, tyle złych decyzji, „a można było inaczej", „trzeba było spróbować", „że też ja nigdy... a teraz już za późno". Nie umiem o tym nawet myśleć i odpycham to od siebie, jak najdalej mogę, jak dziecko, które zatyka uszy, tupie i krzyczy „nic nie słyszę!". Może nie dojrzałam.

Śmierć przeraża mnie jeszcze bardziej, gdy towarzyszy jej ból lub samotność. Pamiętasz babcię Jasię? Jak bardzo musiała się czuć odrzucona i osamotniona, kiedy nikt nie widział tego koguta na suficie ani Murzynki szydełkującej na fotelu, przesuniętego podstępnie żyrandola, zdemontowanego i złożonego ponownie w całość krzesła, gdy stary, usychający mózg płatał jej takie głupie i przerażające figle. „Basia, nikt mi nie wierzy, że oni tu byli!" – mówiła z wypiekami na zmęczonej i przestraszonej twarzy, a mi serce pękało, bo nie potrafiłam wejść w ten świat omamów i grać w tę grę, byle tylko ją uspokoić. A powinnam była! Nic złego by się nie stało, a może czułaby przynajmniej, że ma sojusznika? Może odeszłaby szczęśliwsza i spokojniejsza? Teraz już się nie dowiem. Za późno.

Boli mnie też, że jako głupia gówniara nie doceniałam opowiadań babci Marynki o wojnie. A opowiadała dużo i długo! Zwykle przy obiedzie, a ja przewracałam wtedy oczami i szukałam pretekstu, żeby uciec do swojego pokoju. Ależ się ciągnęły te jej długaśne, nudne opowieści!

Dziś oddałabym każde pieniądze, żeby znów ich posłuchać, bo większości nawet nie pamiętam. Nie zapamiętałam, bo mnie nie obchodziły, bo nie szanowałam babci na tyle, żeby próbować się nad nimi skupić, bo za młoda i za butna byłam, żeby posiedzieć chwilę w ciszy i posłuchać. Za głupia, żeby poprosić: „Babciu, spisz to dla mnie! Będę czytać to na głos swoim dzieciom!". Mnóstwo miała babcia historii – o wojnie, o okupacji, o żołnierzach, o przeprowadzkach, o ukrywaniu się, o szkole, o rodzinie, o uczniach. To były rewelacyjne opowieści pełne zwrotów akcji! Nigdy nie wspominała o polityce, nie narzekała, nie marudziła…

Chciała tylko przeżyć to jeszcze raz. W głowie została mi tylko historia o Teresce, którą wieźli na armacie po tym, jak najadła się gruszek ulęgałek, a okazało się, że nie miała po nich niestrawności, tylko „rozlał jej się zapalony wyrostek". I o kożuchach jedzonych ze spodeczka, przez które uczniowie wyprosili ją ze stołówki. Tylko tyle mi po babci zostało…

Źle znoszę cudzą starość, źle znoszę cudze choroby i niedołężność, źle znoszę cudzy ból. Nie umiem tego sama udźwignąć. Dlatego może lubię pogrzeby i lubię chodzić na cmentarz – bo wtedy jest już spokój, jest cisza, jest pogodzenie. Ta osoba jest już w jakimś lepszym miejscu, nieważne, czy patrzymy na to metaforycznie, energetycznie czy też religijnie. Ale pogrzebu i cmentarza się nie boję.

Pamiętasz, co mi kiedyś powiedziałaś? Że babcia Marynka jest taka smutna i samotna, bo w nic nie wierzy. Dla niej odejście dziadka Zdziśka to był koniec, i kropka. Nie czekała na ponowne zjednoczenie, nie czuła jego obecności, nie miała tego kojącego przeświadczenia, że jeszcze będą razem. Teraz to rozumiem – jesteśmy czasem więźniami własnego rozumu i rozwoju naukowego. Ktoś mi jednak ostatnio powiedział, że nie ma przecież żadnych przeciwwskazań, by nauka i wiara koegzystowały w zgodzie i wzajemnym szacunku. Leciwy profesor spojrzeć może przez okno, zobaczyć kolorowego motyla albo wiotką jaskółkę i pomyśleć „O matko! Toż to moja Danusia! Czuję to!", po czym uśmiechnąć się sam do siebie i wrócić do analizy tkanek pod mikroskopem. Czemu nie? Nauka o świecie zewnętrznym nie powinna dominować rozwoju wewnętrznego. Lata ewolucji rodzaju ludzkiego udowodniły przecież, że tak jak bardzo jesteśmy zdolni do rozwoju naszych umiejętności, pogłębiania wiedzy o otaczającym świecie, szukania i rozumienia związków przyczynowo-skutkowych, tak samo zdolni jesteśmy do tworzenia złożonych mitologii i konstrukcji stricte abstrakcyjnych, które pomagają radzić sobie z wyzwaniami, jakie przynosi nam egzystencja na tym świecie. Staram się godzić te dwie strefy, Mamuś, żeby nie zwariować. Pomaga mi to myśleć, że babcia Marynka i babcia Jasia wybaczyły mi niedojrzałość, brak lojalności, lenistwo i zaniedbanie, że są teraz spokojną energią, z którą mogę nawet mieć kontakt, jeśli się postaram.

Czemu naszło Cię na takie przemyślenia i takie tematy?

Nie chcę zastanawiać się nad Twoim przemijaniem ani Twoją śmiercią. Nie chcę, nie umiem i nie powinnam! To zbyt trudne i chyba niepotrzebne. Co ma być, to będzie, jeśli chcesz się jakoś przygotować, to proszę Cię uprzejmie, ale proszę, nie każ mi się w to zagłębiać. Dla mnie jesteś i zawsze będziesz jakoś tu, koło mnie, nawet jeśli musiałabym Ci przynieść pająka z ogródka. Będę z Tobą gadać, nawet jak będziesz już tylko płytą z lastrika i zdjęciem na kominku, to Ci mogę obiecać.

Buziaki

Lato

Ufffff, napadało śniegu…

Pamiętam, jak babcia Marynka, moja mama, mawiała: „U nas to tylko dziesięć miesięcy zimy, reszta to lato i lato, do znudzenia…".

Jesteśmy z Europy Północnej, dla nas lato deficytowe, więc ma wartość szczególną.

Postaram się, jak dziecko, wypunktować, za co kochałam i nadal… lubię lato. Bo zwróć uwagę, że w gorących krajach żadne dziecko ani doroślak nie ma do lata tak szczególnej skłonności, skoro jest nagminne, namolne, constans, z rzadka przerwane porą deszczową albo rodzajem zimy, podczas której pojęcie zimna jest dla nas ludów północy pojęciem śmiesznym. Jej! Jak zimno, piętnaście stopni! Na plusie! Jej! Sweter trzeba znaleźć! Cha, cha, cha!

To nie to samo, co ciepłe majty, kalesony, kufajki na pierzu, czapy, rękawice z jednym palcem, szale „kominy", i gruba warstwa tłustych kremów na buzi, bo zimno jest jak jasna cholera!

Czyli najbardziej jednak kocha się to, co jest deficytowe?

Wracam do mnie – dziecka. Co znaczyło dla mnie lato?

– Nade wszystko podkolanówki albo bose stopy, pepegi i lekkie szmatki. Precz z ubraniem, w którym poruszaliśmy się jak roboty.

– Rano budziłam się sama, od słońca, które ostro kłuło w oczy, i gdyby nie jakieś mamowe lekkie zasłoneczki z kolorowej materii, spać by się w ogóle nie dało.

Sam człowieczek wstawał! Bez szturchania! I tylko jeszcze opędzić szkołę, jakieś tam lekcje i PODWÓRKO!!! A zaraz wakacje!

Ile my czasu spędziliśmy na podwórku latem! Jak zwierzęta – do domu, do paśnika wpadaliśmy, gdy już głód skręcał kiszki albo zaganiani matczynym „No chodźże wreszcie, bo zawołam ojca! Dziewiąta już! Chodź spać!". Nasze matki zdzierały gardła, żeby się nas dowołać. Dzisiaj zdzierają, żeby współczesne dzieci wygnać choć na chwilę sprzed telewizora czy komputera, ale dokąd? Bo podwórka niefajne, czasem (tak uważają matki) niebezpieczne. Dokąd współczesne, miastowe dziecko ma iść, żeby „polatać po dworze"?

Czy w Australii matki puszczają dzieciaki na plaże samopas? Jak jest z tym ganianiem po dworze? Co tam robią dzieci w wolnym czasie?

Na moim podwórku mieliśmy wszystko, co trzeba – śmietnik, trzy (!) trzepaki, dwie piaskownice, krzaki do zabawy w dom, dwie ławki. Granicą między podwórkami były garaże i my, jak te kury, co nie przekraczają kreski narysowanej kredą, nie przekraczaliśmy granic, do pewnego, rzecz jasna, wieku.

– Wakacje. Oczywiście to frajda wszystkich dzieci świata. Już w *Bullerbyn* Astrid Lindgren opisała ostatni dzień szkoły i tę dziką radość, że mamy wolne!

Też czytałaś to zachłannie.

I zaraz refleksja moja, jako czytelniczki, ależ te dzieciaki mają świetnie! Mają swoją wieś, swój Wielki Mały Świat na własność! Ja się na wieś wybierałam z rodzicami pociągiem relacji Warszawa Wileńska- -Białystok, przez Tłuszcz, Małkinię, aż wysiadało się w Osowcu (trzeba było pilnować, bo pociąg stawał na krótko), a tam już czekał pan Mietek z wozem i gniadym i dopiero na tym wozie czułam, że jest LATO!!!

– Jedzenie. No oczywiście owoce! Tak jak wszystkie inne dzieciaki byłam spragniona owoców! Wiosną już śniły nam się papierówki, porzeczki, rabarbar. W sklepach nie było żadnych owoców, może jakieś resztki pomarszczonych jabłek z magazynów. A winogron, pomarańczy, mandarynek, cytryn, bananów – właściwie nie znaliśmy. Nie istniały na naszym rynku! Wygłodniali, spragnieni naturalnych witamin, czegoś słodko-kwaśnego wypatrywaliśmy dojrzewających owoców w sadach sąsiadów, u księży, u babci… Aż nareszcie lato zaczynało sypać czereśniami, jabłkami, wiśniami, jagodami i malinami, gruszkami oraz zielonym, słodkim groszkiem.

A jak smakowały ziemniaki ze świńskiego gara! Albo z ogniska. Jakie wspaniałe było zimne, zsiadłe mleko wyciągane ze studni w kance.

Dzisiaj są kefiry różnych firm, owszem, ale z tego, co wiem – w świecie nieznane. Jogurty – prędzej, ale to nie to samo. Jak Ty żyjesz bez kefiru? Czym leczysz kaca, jak go miewasz? Bo nie wierzę, żebyście czasem nie poimprezowali, ale Ty masz mocną głowę! Może na suszka pijesz świeży sok z pomarańczy? Ananasa?

Tęsknisz za polskim kefirkiem? Za ziemniakami omaszczonymi skwarkami przez babcię Marynkę? Pamiętasz, ona mogła to jeść przez okrągły rok! Ziemniaki, skraweczki i zsiadłe mleko, czasem ze śledziem (zimą) i to był jej ósmy, kulinarny cud świata.

Ja kocham lato za pomidory z krzaka, polane śmietaną. Słonawe i wielkie plastry, o smaku i kolorze... pomidora. Moje pokolenie rozumie piosenkę *Addio pomidory* śpiewaną przez Wiesława Michnikowskiego. Za moich czasów pomidory zimą nie istniały. Nic a nic, tylko „zupy i tomaty", czyli przeciery.

Ostatnio jadłam takiego zimowego. Woda o strukturze pomidora. Bez smaku i zapachu. Smuuuuuuuuut!

– Woda. No, niektóre dzieciaki jechały z rodzicami nad polskie morze, ale, jak wiesz, ja byłam wywożona do Szafranek, nad Biebrzę. Tam, po sianokosach czy innych zajęciach w ogrodzie lub w polu, biegliśmy nad rzekę kąpać się w ciepłej (tak mi się wydawało) wodzie. Tam się nauczyłam pływać. Masz to opisane w *Fikołkach na trzepaku*. Cudowne wakacje w stylu Bullerbyn. Rzeka, las, pola, trochę pracy, trochę zabawy. Myliśmy się w rzece albo pod studnią. Spało się na sianie, choć ciut bałam się węży, którymi straszyli chłopcy, jadło się biednie, ale pysznie – sadzone jaja, szczawiówkę ze śmietaną, kluski z serem, chleb z cukrem i naleśniki.

Masz tu w pigułce – tekst Krzysztofa Gradowskiego.
Pamiętasz, co to za piosenka?

PORADNIK MŁODEGO ZIELARZA

W poradniku młodego zielarza
Napisanym dla szczęścia ludzkości
Pewien przepis się stale powtarza,
A zawiera on sekret młodości:
Kwiat rumianku, liść pokrzywy,
Ziele bratka, pieprz prawdziwy,
Pestki z dyni i borówki,
A do tego sok z makówki,
Owoc głogu, dzikiej róży
I tymianku liść nieduży.

Zsuszyć, skruszyć, zmielić, zwarzyć,
Podgrzać, zalać i zaparzyć.

A gdy wywar jest gotowy,
To po rozum pójść do głowy,
Nie próbować, wylać, nie pić,
Tylko słońcem się pokrzepić.
Umyć głowę zimną wodą
I zachować formę młodą.

Biegać, skakać, latać, pływać,
W tańcu w ruchu wypoczywać.

W poradniku młodego zielarza
Napisanym dla szczęścia ludzkości
Pewien przepis się stale powtarza,
A zawiera on sekret młodości:

Biegać, skakać, latać, pływać,
W tańcu w ruchu wypoczywać.

I chyba nic więcej! Lato oznaczało dziką swobodę, owoce, wodę i zbieranie jagód na pierogi, grzybów – diabli wiedzą po co, łowienie ryb i raków. Zabawy na pastwiskach, na starych bunkrach i bezpieczeństwo. Każda chałupa mnie znała i ja też znałam wieś i okolicę. Dzisiaj jest inaczej, ale nie chce mi się tego opisywać. Mam TO lato w sobie, i wiesz… chciałabym, żeby moja wnuczka poznała choć kawałeczek takiego lata, ale to chyba niemożliwe.

Dla młodej panny lato oznacza też ciuszki, w których się wygląda ponętnie, bo opalenizna, bo kiełkujące piersi, bo nogi do samej ziemi, bo za rogiem, za plażą, czai się letnia, wakacyjna miłość! Ale to całkiem inna historia.

Współczesne dzieci mają wspaniałą możliwość poznawania świata, gdy rodziców stać na jakiekolwiek wyjazdy. Młoda już jako dwu- czy trzylatka zaliczyła z rodzicami Chorwację. Dla niej wszystkie owoce świata są dostępne jak rok długi, więc lato będzie dla niej wyłącznie synonimem wakacji.

Jako dorosła osoba, a nawet lekko przejrzała, nadal kocham lato, ale źle znoszę upały. Sporo podróżowałam, zaliczyłam też wizyty w tych krajach, w których lato jest... normą, upał czymś bardzo codziennym. Egipt, Indie, Bali, a nawet lato w Korei Południowej – gorące i nielekkie, szczególnie, gdy wilgotność wysoka, bo „suchy" upał to jeszcze, jeszcze. W tych krajach, w hotelach i środkach lokomocji znosiłam to, bo świat wymyślił już klimatyzację. W mieszkaniu w Korei mieliśmy stale dwadzieścia cztery stopnie. Można żyć. Klimatyzatory już coraz ładniejsze – wyglądają jak piękna lodówka albo niebrzydki mebel i nie szpecą, pracują cicho. Wyjście na ulicę to zderzenie ze ścianą upału. Jednak chyba lepsze to niż straszliwe mrozy.

A u Ciebie? Ktoś tam w ogóle docenia lato?

Wysyłam Ci cudne lato malarza Szyszkina – *Karabiel'naja roszcza*, czyli sosnowy las (*karabiel'naja*, bo sosny i las nazywa się sosnami masztowymi, a *karabl* po rosyjsku to statek z masztem). Szyszkin to Rosjanin, który malował tak, jakby fotografował. Na jego obrazach jest słoneczne lato, czujesz zapach igliwia i gorącego piasku, łąki. Bardzo lubię te obrazy. To masz tu dwa dęby na łące, a niżej sosny w lesie. Czujesz żywicę, zapach gorącego piasku?

Uściski, Kochana Moja.

Staram się jakoś oswoić Pavlovą, ale to niełatwe. Suszenie/pieczenie bezy i umiejętnie dodawanie magicznych substancji, czyli wodorowinianu potasu albo octu, to nie wszystko. Trzeba to jakoś oswoić osobiście, jak suflet. Wyczuć. I potem mówić z emfazą: „To proste!" ☺.

Suflet? Chyba zrobię dzisiaj taki z kilku serów, w tym rokpolu. Brak Ci rokpolu?

Pa!

Mamuś,

niedawno pewien dziewięciolatek spytał mnie: „Basia, a jak jest w Polsce?" – pytanie tyleż proste, co nieproste, bo jak tu w kilku zrozumiałych dla dziewięciolatka słowach odpowiedzieć, nie tracąc przy tym jego zainteresowania? Od czego zacząć? Do czego nawiązać? Matko z córką! JAK tak właściwie jest w Polsce? Odparłam więc najlepiej, jak potrafiłam:

– Wiesz, właściwie to tam jest tak samo, jak tu, bo tak samo chodzimy do szkoły, do pracy, po zakupy, jeździmy na rowerach, ale czasem też jest zupełnie inaczej, bo na przykład zimą mamy śnieg.

Młody spojrzał na mnie okrągłymi oczami pełnymi skrajnych emocji i podniesionym głosem wyrzucił z siebie:

– Ależ ty jesteś rozpieszczona! My NIGDY nie mamy śniegu!

Aż mi się przykro zrobiło. Ot, tak jak mówisz. Kochamy towary deficytowe…

Tutaj lato bierze się za pewnik. W Australii nie ma lata, Australia JEST latem. Po prostu. A to, że w międzyczasie trochę temperatura spadnie do tych dziesięciu czy piętnastu stopni, że poleje deszczem, że wiatrem zawieje, to tylko taka dewiacja pogodowa, z którą trzeba się przemęczyć w oczekiwaniu, aż wszystko wróci do normy. Przynajmniej ja to tak odbieram, kiedy patrzę na tych moich Ozonów (tutejsza Polonia mówi tak o Australijczykach, którzy sami siebie nazywają *Aussie*, co czyta się „Ozi").

Kiedy już nastanie stan naturalny w przyrodzie, czyli lato, to wszyscy wydają się ukontentowani i zadowoleni z siebie i życia. Surferzy surfują, maniaczki opalania opalają się, dzieciarnia wylega się na trawnikach, plaży i skwerach. Wszyscy chodzą w klapkach albo boso. Naprawdę, Mamuś – jedziesz sobie autobusem, a dwie osoby na dziesięć są boso i nikt sobie nic z tego nie robi. Tatuś by się tu odnalazł w pięć minut.

Na plażę tu się idzie jak do parku lub z dalszych dzielnic dojeżdża się kawałek autobusem, tak jak u nas jeździ się do Powsina albo Zalesia. Ja widzę plażę z balkonu i mogę na nią dojść szybkim krokiem w jakieś dwadzieścia sześć sekund. Oczywiste jest, że jako ten szewc bez butów, na plażę zwykle nie chadzam... Ale cieszę się, że jakby co, to mogę.

Na plaży jest normalnie, jak u nas, choć nie widuję tych naszych pociesznych parawanów. Tu się zalega, jak się stoi, ewentualnie opada się na ręcznik. Nikomu raczej się nie chce budować zasieków przez pół dnia, żeby przypadkiem ci piachem w oczy wiatr nie zawiał. Jak zawieje, to trudno. Poza tym jest oczywiście głośno, bo dzieciarnia, tłoczno, no bo to plaża. Brakuje mi czasem tylko zaśpiewu „Naaaaleśniki z jaaagodamiiii" jak we Władysławowie... Tu nikt żywności nie rozprowadza, wszędzie są kafejki, sklepiki i inne stoiska, a poza tym przecież niedaleko do domu. Co oni wiedzą o plażowaniu...

Ozony sydnejskie tak kochają to swoje lato, że za bardzo chyba nie wyjeżdżają. Po co, skoro w Sydney jest ponad sto (tak, STO) plaż. Nie ma nudy, można co weekend jeździć na inną, a po pracy wpadać na liczne okoliczne. Jeśli jednak już gdzieś jadą, to na którąś z pobliskich wysepek, a nieco bardziej majętni na Fidżi czy Bali. Tu na Bali lata się jak u nas do Egiptu, nawet i co rok, a Australijczycy są tam ponoć postrzegani jak w Egipcie Rosjanie (bez obrazy dla nikogo oczywiście!). Zło konieczne, ale przynajmniej pieniądze przywożą. Śmiali się tu ze mnie lokalni, że dla mnie Bali to niebywała, nieosiągalna egzotyka, mit jakiś jak z filmu z Julią Roberts. Gdybym została w Polsce, to na Bali bym pewnie nigdy nie dojechała. Odkąd jestem tu, wiem, że mogłabym, choćby w te wakacje, tylko najpierw trochę przyoszczędzę – fajowo, co?

Tęskni mi się trochę za jeziorami, bo tu jest kult oceanu, a my przecież zawsze byliśmy bagienno-jeziorni. Muł, raki, pałka wodna... to jest dla mnie lato. Zapach rozłupanej trzciny, z tą białą gąbczastą masą w środku, mogę przywołać do dziś, choć już z coraz większym trudem. Do tego wieczorne komary, świerszcze, dzikie róże i głogi, które zdradziecko drapały po kostkach, pokrzywy, koniczyny i mlecze, a potem, pod koniec lata, dmuchawce. I liście babki! Liście babki zawsze trzeba było zrywać i przyklejać na ślinę na wszelkie skaleczenia, „bo leczy", podobnie jak pomarańczowy płyn wyciskany z jaskółczego ziela, który wyplenił ze stóp i rąk kurzajki lepiej niż jakieś tam wymrażanie. Żaby łapaliśmy, najlepiej takie młodziutkie, płoche, które nieruchomiały czasem ze strachu, a potem puszczaliśmy je wolno, żeby tylko złapać kolejną. Jedliśmy, co popadło, bo to w ogóle nie było ważne, poza tym w upale przecież nie chce się jeść. Babcia robiła kanapki „z postną kiełbasą", czyli masło, czosnek i gruba sól. Rany, jakie to było dobre! A jak jesteś dzieckiem, to przecież cię nie obchodzi, że śmierdzisz. Wszyscy śmierdzieliśmy tym solonym zdrowiem. Tęsknię za taką dziecięcą beztroską, kiedy było mi wszystko jedno...

Kefir to już chyba wspominałam, że jest tu moją wielką, rozpaczliwą tęsknotą, bo o zsiadłym mleku to w ogóle zapomnij! No, chyba że sobie sama wstawię, ale skąd ja wezmę niepasteryzowane... Znalazłam ostatnio jakimś cudem australijski kefir, ale musiałam po niego jechać ponad godzinę na zachód, do polskiego sklepu w baaardzo oddalonej ode mnie dzielnicy.

Ale warto było! Kefirem zalałam również zdobyczną kaszę gryczaną (tu nawet jak mówię „kasza gryczana" po angielsku, to się patrzą na mnie jak na wariata) ze skwarkami i cebulką przyrumienioną – w taki sposób się trochę oszukuję, że jest jak w domu…

Wiesz, Mamuś, ja nie narzekam. Tu lato jest absolutnie cudowne i nawet nie takie zupełnie inne niż nasze, bo przecież słońce to samo, piasek tak samo ciepły, woda tak samo rześka, owoce tak samo jędrne i soczyste. A to, o czym mówisz, takie lato z dzieciństwa, „prawdziwe lato", urasta po prostu w pamięci do rangi niemal mitycznej, to taka kraina spokoju i dobra wszelakiego, gdzie nic złego nie mogło się stać. Taki urok wspomnień i trzeba je pielęgnować.

U mnie chwilowo zima, więc eksploatuję swoje polskie kalosze oraz piąty już parasol, bo poprzednie połamał mi wiatr znad oceanu. Tęsknię za latem, choć trochę poraża wizja wyskoczenia na plażę z ciałem bladawym i nieco nie w formie, ale tak już musi być! Nadgonię pod balkonem, daleko przecież nie mam na tę całą plażę. Może nawet rozłożę parawan.

Buziaki, Mamuś!

Pomocy! Czyli rzecz o pomaganiu i delegowaniu zadań

Mamuś,

tak siedzę sobie właśnie i się zastanawiam, kogo by tu poprosić o pomoc. Nie panikuj – nic się strasznego nie stało. Właściwie to nic zupełnie się nie stało, rozważania mam czysto teoretyczne i niczym nie uzasadnione. Trzy lata temu doskonała, eklektyczna w podejściu pani psycholog Gosia nakazała mi w ramach pracy domowej na całe życie prosić o pomoc, kiedy jej potrzebuję. Zadanie trudniejsze niż by się mogło wydawać, kiedy wychowało cię dwoje filantropów-

-amatorów i dziadkowie społecznicy. Wiesz, ja nie mam problemu ze zwróceniem się do jednego czy drugiego mężczyzny z pytaniem, czy dźwignie za mnie karton książek. Nauczyłam się względnie wydawać polecenia w sytuacjach służbowych, choć nadal zdarza mi się zająknąć, trzy razy powtórzyć „proszę" lub nawet przeprosić, że w ogóle czegoś chcę. Ale kiedy pomoc naprawdę jest potrzebna – klops.

„Baśka, ty dzwoń, jakbyś czegoś potrzebowała" – usłyszałam to piękne zdanie parę razy w życiu, ale co to właściwie implikuje? Mam oddzwonić i oznajmić „Cześć, Romek, związek mi się rozpada, praca mnie dołuje, długi mnie zżerają – weź pomóż"? I co Romek zrobi? Nie naprawi mi przecież związku, nie zmieni mi pracy ani nie spłaci długów, jak mniemam. Jak więc może mi pomóc? Nie może. No to ja nie dzwonię. Głupia ja, jak widać, bo o pomoc prosić należy, dla zachowania zdrowia psychicznego i równowagi w życiu.

Pamiętasz, Mamuś, jak się wprowadziliśmy na Gocław w latach osiemdziesiątych, to naokoło nie było nic poza majestatycznymi rzędami bloków, uliczkami dojazdowymi i wielką kupą ziemi wygrzebanej na poczet gocławskich fundamentów, zwaną „górką". Nie trzeba było długo czekać, aby blokowi tatusiowie zebrali się i razem zbudowali nam piaskownicę, bo przecież dzieciaki muszą się gdzieś bawić. W zimie ci sami tatusiowie wylewali nam fenomenalne lodowisko do ślizgania się „na butach" – najpierw misternie ulepili profesjonalne bandy ze śniegu, żeby woda nie rozlała się za daleko. Którejś zimowej soboty tatuś i ciocia Basia z drugiego piętra ciągnęli za sobą po cztery pary sanek, taszcząc tym samym na ośnieżony Wał Miedzeszyński wszystkie dzieci z klatki w przedziale wiekowym od pięciu do dziewięciu lat. Swoje dzieci, cudze dzieci – nieistotne, iść na sanki miał prawo każdy. Co sobota do opieki nad stadem zgłaszała się inna para osiedlowych cioć i wujków.

A Pan Rybak skakał z balkonu, żeby łapać złodzieja, który dobierał się przecież do czyjegoś innego poloneza. Ale złodzieja trzeba łapać.

Ludzie sobie pomagali z założenia i ufali, że ktoś pomoże im z dobroci serca, a nie z chęci stania się karmicznym wierzycielem, czekającym tylko na moment windykacji. Stopniowo, po cichutku, kroczek po kroczku wszystko się zmieniło i odnoszę wrażenie, że dziś sąsiad zza ściany, osoba geograficznie ci najbliższa, może być tym samym najbardziej odległą. Nie chcę tu analizować przemian polityczno--gospodarczych, które zaszły w naszym pięknym kraju. Nie chcę roztrząsać kwestii technologicznych, które przerzuciły naszą uwagę z realu na wirtual. Zasmucam się tylko nad konsekwencjami.

Pamiętasz, jak pojechaliśmy do Szwecji na urodziny Tadeusza? Myślałam wtedy, że spać będziemy w jakimś kolejnym hotelu, tymczasem o północy, po skończonej imprezie, Tadeusz zaprowadził nas do jakiegoś domu, zapalił światło i powiedział „ręczniki leżą na łóżkach". Śpiąca byłam, więc zupełnie nie interesowało mnie, gdzie jestem i dlaczego. Rano obudziłam się w czyimś łóżku przykrytym patchworkową narzutą. Na ścianach wisiały plakaty, na biurku leżały jakieś papiery i flamastry. To po prostu był dom sąsiadów – sąsiedzi użyczyli Tadziowi swojego domu, bo przecież sami pojechali na wakacje, więc co im przeszkadzało, że on tam położy u nich na noc swoich gości?!

Czy Ty znasz kogoś wśród swoich znajomych, kto zrobiłby taki numer? „Masz tu, stary, klucze, niech nocuje, kto chce". Albo inaczej. Znasz kogoś, kogo byś mogła o taką przysługę, pomoc, poprosić?

W mojej obecnej sytuacji pomoc często była mi potrzebna i niejednokrotnie ją otrzymałam, choć najczęściej w sposób zupełnie zaskakujący, bo, jak już wspominałam, z proszeniem jestem na bakier. Takie niespodziewane koła ratunkowe, które przywracają wiarę w ludzkość i dobro. Jedną tylko wspólną cechę często mają takie koła, co udało mi się w końcu skrystalizować i jakoś zdefiniować – otóż dość fajnie i przyjemnie jest pomagać, kiedy to, co masz zrobić, jest dla ciebie proste, osiągalne i nie wymaga większego wysiłku lub też przynosi ci bezpośrednie benefity. Bardzo łatwo jest wynająć komuś mieszkanie, skoro i tak stoi puste, podwieźć kogoś do domu, jak masz po drodze, zapłacić za bilet, kiedy i tak musisz rozmienić dwadzieścia złotych. I ja nie mówię, że takiej pomocy nie doceniam i nie przyjmuję z wdzięcznością! Pytanie tylko, jak wyglądałaby sytuacja, gdyby tak poprosić o nocleg kogoś, kto musiałby w tym celu przytaszczyć ci łóżko polowe z piwnicy, o podwózkę, gdyby kierowca miał przez to zboczyć z trasy o parę kilometrów lub o pożyczkę, gdy ktoś musiał oddać ci swoje ostatnie pieniądze. I tu nagle ludzie stają się asertywni, wykrętni lub wręcz uciekają się do białych kłamstewek, aby wyjść z sytuacji z twarzą. Lubimy pomagać, ale poświęcać własny komfort czy zasoby już nie. I znów – nie mówię, że to bardzo nieładnie i podle być takim samolubnym. Jest to po prostu smutne. Zauważyłaś na przykład, że przy drogach jest coraz mniej autostopowiczów? Może się mylę, ale chyba wymarli śmiercią naturalną, bo nikt się już po nich nie zatrzymuje. Sama nieraz od znajomych usłyszałam: „No co Ty! A jak to złodziej, przystawi Ci pistolet i zabierze samochód?". Myślę, że złodzieje samochodów mają jednak bardziej skuteczne metody kradzieży niż „na autostopowicza" z pistoletem w plecaku, ale takie podejście do sprawy jest zastraszająco popularne. Z tych samych powodów nie przyjął się na razie w Polsce wakacyjny system „zamiany domów" ani coraz popularniejsze na świecie „wynajmij kanapę" – a tu widziałam na własne oczy, że działa! Odwiedzam znajomego, patrzę, a tu jakieś dwie blondynki i sterta plecaków.

– Kto to? – pytam.

– A nie wiem, jakieś studentki z Estonii – odparł kolega.

– Jak to nie wiesz, jak to jakieś? – drążę.

– No nie wiem, ja tylko wynajmuję im kanapę, wyjeżdżają chyba za miesiąc.

W Polsce to system mało znany. Jak to tak, obcego do domu. A jak cię okradnie?

Znasz mojego kumpla M.? Ma jedną rewelacyjną filozofię, której przyklaskuję i którą zamierzam powielać. Otóż M. oznajmił mi kiedyś, że on pieniędzy ludziom nie pożycza. Jeśli może, to daje, ale nie pożycza, po potem robi się nieprzyjemna i czasem przykra w konsekwencjach sytuacja, kiedy jeden oczekuje w końcu zwrotu, a ten drugi nie może, nie chce lub zapomni oddać. Tworzą się zgrzyty, kwasy i problemy, lepiej więc po prostu dać potrzebującemu i zapomnieć o sprawie. Genialne w swej prostocie! Oczywiście, Mamuś, bardzo łatwo jest tak mówić, kiedy się te pieniądze ma, ale nadal uważam, że rezygnacja z odzyskania oddanych pieniędzy jest chwalebna i jest właśnie tym rodzajem poświęcenia, o który mi chodzi.

Chciałabym być lepszym człowiekiem i sama pomagać bezinteresownie. Na razie oddaję odzież do sklepów charytatywnych (z wygody, bo po co wyrzucać), podrzucam kolegów do domu po pracy (zwykle jest mi po drodze), tłumaczę CV i inne papiery (bo lubię), sprzątam u innych (bo łatwo mi to przychodzi). Ale czy sama coś poświęcam, żeby innym pomóc? Komuś, kto nie jest najbliższą mi osobą? Próbuję. Ale takiego poziomu jak nasza gocławska wspólnota rocznik osiemdziesiąty ósmy na pewno jeszcze nie osiągnęłam.

Tu jest zresztą trudno – jeszcze nie do końca tutejszych ludzi wyczuwam. Z jednej strony miejscowi są dużo weselsi i bardziej otwarci niż znani mi Polacy. Możesz na przykład swobodnie zagadać osobę stojącą obok na przystanku z perspektywą przemiłej konwersacji aż do końca trasy. Możesz spokojnie liczyć na to, że jak ci zabraknie na bilet, to ktoś z kolejki dorzuci dolara. Możesz zaproponować starszej pani, że jej pomożesz nieść zakupy i nie napotkasz podejrzliwego spojrzenia, w którym wyczytać możesz „czego ode mnie chcesz, łobuzie?". Ludzie tu wydają się w większości ufni, sympatyczni i otwarci. Ale nie rozgryzłam jeszcze, czy oni tacy po prostu są, czy to taka konwencja i jednak maska. Zgodnie z ideą „prawdziwych przyjaciół poznaje się w biedzie", przekonam się pewnie kiedyś na własnej skórze i obym się nie rozczarowała!

Buziaki!

Kochana Moja!

Ach! Nocowanie w Göteborgu na urodzinach Tadeusza, pamiętam! Też mnie zamurowało – sąsiedzi dali mu klucze, żeby przenocował przyjaciół z Polski, ze świętą wiarą, że skoro to przyjaciele Tadeusza, to ludzie godni zaufania, i szlus! Mnie także wzruszyło to zaufanie, ten dom całkiem prywatny – tu szlafroki państwa, tu lakier do paznokci, tusz do rzęs i krem pod oczy pani domu, szafka, a tam zapewne ich skarby – może cążki, środki antykoncepcyjne? Lek na odciski i maszynka do golenia nóg? W pokoju książki na półce, na drzwiach sukienka na wieszaku, z której pewnie pani domu zrezygnowała w ostatniej chwili... I DLA NAS zasłane świeżą pościelą łóżka i czyste ręczniki. Wszystko dostępne, otwarte... Szok zaufania i prostej gościnności.

Prośba o pomoc to dzisiaj delegowanie zadań i, jak sama piszesz, nie masz z tym wielkiego problemu. To świetnie – nie ugrzęźniesz w życiu na mieliźnie, która nazywa się Dumna Kobieta Nieprosząca Nikogo O Pomoc.

Jak matka Polka z wyprutymi żyłami. (Ona sama często przeradza się w złośliwą narzekaczkę, bo niby „ja sama, ja sama", ale z czasem zauważy, że można delegować zadania w domu, że to znakomicie formuje rodzinę, przekształca ją w związek rodzinny osób wspierających się, a nie rodzinę-hubę, korzystającą wyłącznie z harówki matki).

Pamiętasz ten durnowaty łańcuszek z netu „Kobieta idzie spać"?

Tak kretyńskich wypocin to ja dawno nie czytałam. Przypomnę Ci – to był tekst o tym, jak mama wstała z kanapy wieczorem i chciała iść spać, ale zanim poszła, zrobiła jeszcze milion rzeczy za domowników, którzy w tym czasie nie robili nic. Łańcuszek był okraszony łzawymi, głupawymi zdaniami w stylu – „wyślij to do innych wspaniałych kobiet (że ta to niby taka wspaniała), żeby im coś tam…". Nie wiem, po co? Wysłałam to do Ciebie z dopiskiem:

Nie będę wysyłać tej historii do fantastycznych kobiet, żeby się obśmiały i pokiwały głową z ubolewaniem. Wyślę to Tobie, bo wiem, że nie weźmiesz tego poważnie.

Ta kobieta nie umie zorganizować sobie pracy w domu.

Za mało wymaga od domowników i rżnie bohaterkę.

Nie zdobyła szacunku dzieci i męża, nie stawiając siebie na równi z nimi.

Nie pokazując im, że powinni się z nią liczyć i włączyć się w pomoc w domu.

Szybko zapadnie na choroby psychosomatyczne, a jak dzieci podrosną, będzie czuła pustkę, bo zabraknie osób do obsługiwania.

Nie lubi seksu z mężem, więc kombinuje na sto sposobów, żeby odwlec pójście do łóżka. Za kilka lat będzie płakała u terapeuty, że mąż ją zdradza.

Jako babcia będzie nadopiekuńcza i namolna, bo nie poświęciła sobie czasu na to, żeby mieć własne zainteresowania.

Mogę to wysłać tylko jako przestrogę do kobiet, które sobie w życiu nie wyrobiły odpowiedniej pozycji w rodzinie, ale mi się nie chce, bo skoro któraś bierze to na poważnie, to znaczy, że jest męczennicą i uwielbia się nad sobą użalać.

Uściski – Mamcia

Pamiętasz to?

Wracając do tematu, wiem też, bo znam Cię przecież, że jak lew będziesz walczyła o pomoc dla osoby potrzebującej, ale we własnej sprawie lekko Ci to wołanie nie przychodzi. Zacinasz się w sobie i chcesz SAMA. To niełatwe, zwłaszcza dla kogoś, kto Cię kocha i widzi, że na przykład włazisz w niebezpieczny rejon czy coś... Rozmowa, argumenty, niepewność, to jest to, co można nazwać pomocą, wsparciem.

Ale prawdą jest też to, co napisałaś – kolega czy nawet najlepsza przyjaciółka nie naprawią związku, nie wpłyną pozytywnie na relacje rodzinne, nie załatają dziury budżetowej etc. To wszystko prawda. Może dlatego ja nie obrosłam przyjaciółkami?

Znam co najmniej dwa, trzy przypadki, gdy przyjaciółeczki skutecznie swoimi intrygami i niby- -pomocą, a de facto jątrzeniem, rozwaliły związek małżeński „wspieranej" koleżanki. A wiem, że ona sama z mężem daliby sobie radę! Przyjacióleczki huzia na Józia, ostro i bezpardonowo rozprawiły się z różnymi ich sprawami i nie pomyślały ani przez chwilę, że państwo dogadaliby się (znam ich, wiem, że było blisko...), że dzieci nie straciłyby stabilizacji (rozwód, nawet najdelikatniejszy, to zawsze destabilizacja – niewskazana dla dzieciaków), nie byłoby wrednej wojny o kasę i majątek. Przyjacióleczki, pomagając koleżance się rozwieść, nie wpadły na to, że nie zastąpią w jej domu tatusia, kochanka, męża. Rozwaliły i przycichły. Rozwódka niestety musiała sama borykać się ze swoją (przyjaciółek!) decyzją.

Napisałaś ciepło o wspólnocie mieszkaniowej na Gocławiu... Ależ Ty masz pamięć emocjonalną!

Ty wiesz, Słonko Moje, co Ty opisałaś? Nieświadomie (bo nie było Cię w czasach, gdy w Polsce panował tak zwany socjalizm realny) opisałaś coś, co nie było wcale takie złe, a jest w pewnym stopniu wynalazkiem tamtych lat – solidarność społeczną, której uczono nas w szkołach, w zakładach pracy, w życiu.

Przed wojną różnie to bywało, w pewnych kamienicach ona istniała, w innych – wcale, nadto mieszkańcy części frontowych, tych lepszych, „od ulicy", nie pospolitowali się raczej z mieszkańcami oficyn. Tych łączyła (albo nie) wspólna dola mieszkańców gorszej kategorii. Zazwyczaj to była zajadłość w sporach o byle co, utarczki i awantury. Na wsiach też nie było różowo pod tym względem. Czytałaś *Chłopów*? Solidarność społeczna – owszem, przeciw jakiemuś wspólnemu wrogowi, panu, Jagnie, ale żeby tak sobie wzajem pomagać?!

Opisujesz samoistny ruch społeczny, coś, czego już nie ma. Gdzieś tu wspominałam o akcji z plackami ziemniaczanymi. Doskonale pamiętam inicjatywę z piaskownicą. Krajobraz księżycowy, a tu tatusiowie sklepali ją, zamówili piach i nagle – ta-dam! Była! Mirek, mój brat, opowiadał mi, jak zamieszkali z żoną na Ursynowie. Przyszła zima stulecia, osiedle zasypało! W piątek pukanie do drzwi, a za nimi młoda pani: „Dzień dobry! Jestem animatorem ruchu społecznego w naszej administracji! Jutro odśnieżamy! Wszyscy! O dziesiątej rano podjedzie pod państwa dom samochód z szuflami i... zabieramy się do odśnieżania osiedla. W tym czasie, w bloku numer (jakiś tam) będzie czynna świetlica z opiekunką dla dzieci!". Nazajutrz, faktycznie, przyjechała nyska z łopatami, wyszło najpierw dwóch sąsiadów z parteru, a potem jakoś tak nie wypadało siedzieć w domu, więc wyszli wszyscy! Pani od dzieci przyszła i pozabierała do świetlicy maluchy, a starsze dostały mniejszy sprzęt. „I tak –

opowiadał mi brat – zintegrowaliśmy się ino mig! Przy odśnieżaniu gadaliśmy trochę, potem przyjechała ta nyska, przywożąc gorącą herbatę w wojskowych termosach, żony postarały się o kanapki i było naprawdę super! Umówiliśmy się na wieczór u tych, którzy mieli największe mieszkanie, na dalszy ciąg integracji i tak zakumplowaliśmy się na dobre". Potem już odbywało się to, o czym mówisz – jakieś wspólne sprawy, pomoc, a nawet zwykłe gościowanie się i pogaduchy.

Ty wiesz, że ja, Irena, Basia i Marysia – sąsiadki z Gocławia, umówiłyśmy się, że pożyczonej soli, cukru, jajka i octu nie oddajemy. Nie i już! „To się i tak kiedyś wyrówna!" – zapewniła Marysia, zresztą przecież nie pamięta się, żeby oddać filiżankę cukru, jajko czy pieprz. Z Basią to w ogóle miałam cudny układ, pamiętasz? On przyprowadzała Tomka (syna) i mówiła: „Zjemy u ciebie zupę, bo mi się nie chce gotować, a ja ci za to pozmywam i ogarnę kuchnię!".

Kapitalne! Bo sprzątać to ja nie lubiłam, za to gotować – bardzo…

Myślisz też o realnej pomocy? Tak, to jest pewien problem, gdy chodzi o pieniądze. Też nie pożyczam ludziom, nie żyruję pożyczek i sama też żyję, nie zaciągając pożyczek (na przykład w bankach), bo jeśli mnie nie stać to… nie. Nie znoszę żyć z mieczem

Damoklesa w postaci pożyczonych pieniędzy na dziwnych zasadach (ach, te malutkie literki w umowach!). Może to nierozsądne, bo podobno wszyscy żyją na pożyczkach, a każde państwo na świecie jest zapożyczone. KAŻDE? Tak, podobno każde. No to gdzie są te pieniądze? W banku Gringotta z *Harry'ego Pottera*?!

Na swój sposób pomagam choremu chłopakowi. I już.

Natomiast zupełnie czym innym jest pomoc „od siebie", czyli zaproponowanie komuś słabemu pomocy fizycznej (wniesienie siatki do domu czy pralki, z żartu o feministkach, na siódme piętro). Kto ma krzepę i dobre serce, ten może pomóc.

Tyle że dzisiaj ta pomoc uliczna, zwyczajna, umarła. Zabiły ją sensacyjne doniesienia, które skutecznie wykastrowały nas, zwykłych ludzi, z odruchu pomocy czy zagadania jeden do drugiego. Że policjant w cywilu (po godzinach) zwrócił uwagę chuliganom i już nie żyje, że bandy chłystków okradają staruszków „na wnuczka", że chłopiec w Łodzi stanął w obronie łżonej dziewczyny i za to go zabito. To wyłączyło w wielu ludziach wszelkie odruchy ludzkie, społeczne, wspólnotowe. Owszem, będą się wykłócać i ciągać cię po sądach, bo twój pies podbiegł do kogoś, merdając ogonem, albo zaszczekał na balkonie po dwudziestej drugiej... Pamiętam, jak byliście mali, na plażę przyszło podpite towarzystwo, bardzo byli chamscy i głośni, a kiedy stłukli butelki, żeby się bić, rośli Ślązacy (kochałam za to Ślązoków!), opalający się tam z żonami i dziećmi, wstali i zrobili porządek tak, że gówniarzeria nawet szkło pozbierała, zanim łaskawie mogli dać nogę. Tak powinno być! Ale nie jest. Dzisiaj nikt, nic...

A! Chyba nie wiesz, nie wysłałam Ci linka, ale dosłownie kilka dni temu Krystyna Janda napisała właśnie o tym tekst, który podzielił ludzi w necie. Sarknęła na to, że źle wychowujemy chłopców, bo poprosiła w pociągu pana o pomoc przy ulokowaniu walizki na górnej półce, a on odmówił. I miał prawo, ale myślę, że obrał kiepską strategię. Burknął coś, że nie, bo ma chory kręgosłup, choć swoją wielką walizę tam umieścił. Pani Krystynie pomogła inna pani.

Pisałam o tym kilka felietonów.

Raz, że faktycznie dziewczyny wychowujemy zazwyczaj fajne! Odważne, światowe, takie Zosie Samosie, a chłopcom wiążemy buty (na kolanach) do trzydziestego roku życia... Chłopcy dzisiaj w domach nie mają żadnych obowiązków! Nawet nie wynoszą śmieci, więc nic dziwnego, że jako dorośli nie rozumieją, jak opróżnia się kubeł, jak napełnia lodówkę i są zdumieni, że jak się nie opłaci prądu, to go wyłączają. Opanowują najwymyślniejsze gry komputerowe, a pralka stanowi dla nich totalną zagadkę, podobnie jak prasowanie czy mop.

Dwa – to feministki walczące, oganiające się od wszelkiej pomocy sprawiły, że faceci, nawet ci chcący pomóc – boją się kolejnych parsknięć i fochów, że ZNÓW traktują kobiety jak istoty słabsze! Dlatego powstał ten szyderczy tekst o pralce (vel szafie) i siódmym piętrze.

Pamiętasz, jak Ci opowiadałam, że kapitalnie umiał poprosić… Nie, to złe słowo – wywołać pomoc Melchior Wańkowicz? Z racji lenistwa i chyba już wtedy brzuszka – zabawa w składanie kajaka składaka nie uśmiechała mu się, więc wymyślił „wspaniałego mężczyznę". Wyśledził na plaży takiego, który już złożył swój kajak, podchodził i grał totalnego mameję:

– Panie! Ależ panu to poszło! Ja się męczę jak głupi, a pan to jak, nie przymierzając, prestidigitator!

– To? („wspaniały mężczyzna" wskazuje sprzęt) Kochany, to takie proste! To się składa w góra piętnaście minut!

– Nie!

– No mówię panu!

– E, chrzanisz pan, niemożliiiiiwe!

– A założymy się? – jest już haczykiem, na którym zaraz zadynda rybka.

Powiem Ci, że czasem, gdy trzeba było zmienić koło w samochodzie – korzystałam. Nie żeby wiesz, na „biedną myszkę", bo UMIEM! Ale przy pomocy „wspaniałego mężczyzny" jakoś łatwiej, więc szło to tak:

– Przepraszam pana, koło to ja sama wymienię, ale czy byłby pan uprzejmy podnieść mi auto? Znaczy zakręcić tym podnośnikiem, bo z tym tylko mam problem. Z resztą dam radę!

Od kiedy jeżdżę półciężarówką, to rzadko łapię gumę, ale jak już, to dzwonię po assistance. Zwłaszcza na deszczowej szosie w listopadzie, gdzieś koło Makowa Mazowieckiego…

I wiesz… Najtrudniejsza pomoc to ta, która wymaga zaangażowania się, dania siebie, swojego czasu, uwagi. Dlatego powstała *Lilka*, książka właśnie o tym. To prawdziwa historia moja i naszej sąsiadki Majeczki, której kiedyś… nie lubiłam, a kiedy po latach okazało się, że jest osamotniona w swojej chorobie, coś się we mnie przełamało. I wiesz, Ona umiała znakomicie przyjmować pomoc, umiała o nią poprosić, nie było w tym niczego niegodnego, całkiem zwyczajnie mówiła mi: „Pomasuj mnie tu" albo „Możesz mi kupić te zioła?". I podawała karteczkę z jakimiś cudownościami, z niewymuszoną chęcią brała ofiarowany czas, uwagę, czułość – bo to było Jej potrzebne chyba bardziej od chemii. Patrz… stale o Niej piszę wielką literą. Tak, łatwo było wspierać Majkę w Jej paskudnej chorobie, bo nie krygowała się, nie udawała silnej, nie robiła z siebie Kaśki Kariatydy. Już wtedy – nie.

To też dobra i mądra umiejętność – zwrócić się o pomoc i najzwyczajniej ją wziąć.

Puenty nie mam, siedzę sama, bo Siwy pojechał na „ptaszki" – do czatowni, gdzieś nad Narwią chyba.

Kończę już, Moja Ty mądra i fajna córko. Pada deszcz. Czeka mnie mycie podłóg i pisanie.

Całuję mocno – Mama

PS Nie muszę tego pisać, ale wiesz, że zawsze możesz napisać: POMOCY! PROSIACEK (JA), a pod spodem: TO JA PROSIACEK, POMOCY, POMOCY!

I włożyć do butelki, a ja ją znajdę ☺.

Czym skorupka... czyli piękno otrzymane

Kochana Moja!

Myślałam o tym, czym jest piękno, a nawet się o tym wypowiedziałam publicznie i... wytknięto mi, że pragnę słodkiego lukru. Co za zidiocenie! Ludzie już kompletnie mylą piękno z czymś, co się nam pod tą przykrywką serwuje, czyli GLAMOUR. A ja nie o tym!

Więc (nie zaczyna się zdania od „więc") ja postanowiłam zaczepić się o Ronalda Russella, brytyjskiego polityka, autora ładnego cytatu o dziecku. Oto ostatnie zdanie, mogące żyć własnym życiem: „Dzisiejszy człowiek, który żyje miłością i pięknem, to dziecko, które wczoraj żyło radością".

Pochodzę, jak wiesz, z dość ubogiego domu, w którym jednak było ciepło i miłośnie. Rodzice kochali się bardzo, więc i ja kąpałam się w ich miłości do mnie, mimo że wychowywana byłam surowo, a czasem wręcz obrywałam po tyłku. Nie pozostawiło to we mnie ciężkiej traumy, bo w wielkiej przewadze nad tymi drobnymi „aspektami wychowawczymi" była ogólna atmosfera w domu.

Było szczęśliwie i radośnie, pięknie.

Mój tatko, Twój dziadek – prosty chłopak z Pragi, usłyszał był podczas swoich wojennych wędrówek koncert Czajkowskiego i wpadł jak śliwka w kompot! Jego zmysł piękna, dotąd śpiący, oszalał i nastawił czułki na muzykę. A gdy usłyszał Gałczyńskiego, to był drugi „piorun sycylijski", od którego rozmiękło tatowe serce i dusza. Zaczęło się poszukiwanie, pogoń za pięknem słowa, dźwięku, a wkrótce i obrazu, rzeźby. Był samoukiem, poszukiwaczem, wdzięcznym odbiorcą i autorem (!) sztuk pięknych.

W naszym skromnym domu był adapter i kolumny zrobione przez tatę. Były też płyty, regał z książkami, wśród których stały wiersze K.I. Gałczyńskiego, W. Broniewskiego (jako liryka), L. Staffa, A. Asnyka, C.K. Norwida, H. Poświatowskiej i W. Szymborskiej, mama polonistka też dostawiła swoje książki i zbiorki innych pisarzy, poetów. Mama erudytka pokazała mi piękno języka i nauczyła stawiania prawidłowych akcentów, czyli melodii języka. Wyczuliła na słowo.

Na regałach pamiętam wielkie ojcowe skarby: albumy sztuki, na które nie żałował pieniędzy.

Kiedy chorowałam jako dzieciak na jakieś anginki czy inne tam dziecięce choróbska, siedziałam sobie w piżamce na tapczanie rodziców, w ciepłych piernatach, zapewne z obwiązanym gardłem i kubeczkiem herbatki z miodem na nocnej szafce, i oglądałam zbiory Luwru, podobne z muzeum w Prado, Ermitażu, pięknie wydane albumy Wyspiańskiego, Rubensa, Szyszkina i bajecznie sfotografowane wszelkie szczegóły Ołtarza Wita Stwosza. Jako mały glut wiedziałam, jak malował Monet i że był też Manet, że był ktoś taki jak Michał Anioł, Leonardo da Vinci, El Greco i Goya, i Mehoffer, Mucha.

Bywało, że tatko mówił do mamy słowami Ildefonsa, podając jej bukiet kwiatków kupionych na działkach, sam pisał wiersze gałczyńskopodobne, a wieczorami, gdy mama poprawiała klasówki, a tatko odpoczywał, w tle snuł się Szopen albo Grieg, Schumann, Bruch. Tak osłuchałam się w klasyce, nasiąkłam nią i dzisiaj, jak mój ojciec, kocham Czajkowskiego, Vivaldiego, Szopena i tych wszystkich, bez których życie byłoby smutniejsze i po prostu brzydsze. To dzięki rodzicom umiem podziwiać piękno, które mnie otacza, wzdychać z zachwytu, gdy widzę mgły nad pastwiskami, pszczołę, która została na noc w kielichu krokusa (mam ją na zdjęciu!) i rosę, która udaje brylantową kolię rozwieszoną na pajęczynach. Widzę piękno na świecie, gdy wyjeżdżam, i to nie tylko wizytując Taj Mahal, ale też na spacerze w koreańskiej świątyńce, gdy wkoło październik umalował stoki górskie na kolorowo (jak w naszych Bieszczadach), w Goniądzu nad Biebrzą czy na Złotej Uliczce w Pradze.

Tata jedną ręką robił dla mojej mamy delikatną i doprawdy ciekawą biżuterię z byle czego – kamyków, drewienek. I pięknie na mamę patrzył – z taką miłością!

Jeżdżę samochodem, słuchając Dwójki, wdychając przez uchylone okno zapach ognisk jesiennych z pól, na których palą się ziemniaczane łęty. Widoki jak z obrazów Chełmońskiego. Piękno jest wszędzie, widzę je i słyszę, tak samo jak widzę i słyszę brzydotę.

Tato, mamo i wy wszyscy wielcy pisarze, kompozytorzy, malarze obecni w moim życiu – dziękuję!

A ja… i moja „pięknota zewnętrzna"?

Czułam się ładna, bo piękna – nigdy. Mama skutecznie stosowała zasadę babci Jabłońskiej – „nie rozpieszczać!". Dla mojej mamy piękno człowieka określały cechy wewnętrzne. Wyłącznie! Może parę razy za młodu, jako panienka świetnie ubrana, tańcząca i oklaskiwana czułam się... atrakcyjna. Piękna? Nigdy.

Dzisiaj, Córeńko, piękna zewnętrznie to ja nie jestem, w sensie piękna okładkowego, czyli glamour. Zapewne też nie zestarzeję się tak interesująco, szlachetnie, jak Danuta Szaflarska, Helen Mirren czy Judi Dench. I nawet chyba nie zależy mi na tym, choć... kiedy patrzę na mojego Siwego, może czasem wolałabym być dla niego ładniejsza?

Wiesz, Kochana Moja, jak starość bywa... nieatrakcyjna. Moja skóra blondynki z tkanką tłuszczową podskórną (to najlepszy kosmetyk na zmarszczki!) jest mimo wszystko nieładna, zwłaszcza na udach i brzuchu. Obwisłe „chomiczki" na twarzy to też żadna frajda i choć podobno można to ślicznie podciągać nićmi kosmetycznymi – jakoś nie palę się do tego zabiegu.

Plamy na dłoniach, głębsze bruzdy nosowe, taka jakaś inna ta skóra niż za młodu... I zapach. Teraz, gdy się starzeję, muszę dbać o to szczególnie. Inaczej działają hormony, inaczej gruczoły niż za młodu, gdy nawet spocone młode ciała kolegów pachniały! Zwłaszcza pamiętam jednego blondyna, chłopaka spracowanego solidnie, który wracał do domu opodal naszego. Wyszłam zamienić z nim kilka słów. Pachniał młodzieńczym potem, jak źrebię. Ładnie! Odurzającą młodością. Starzy ludzie już tak nie pachną.

Pomna mojej kochanej teściowej, która dbała o to szczególnie, do końca życia, i ja staram się zadbać o tę sferę. A mój Siwy i tak twierdzi, że jak się uśmiecham, to on ma motyle w brzuchu i kocha mnie taką, jaka jestem. Taki mały romantyzm. Ludziska komentują za to Twoją urodę. „Jaka piękna córka!". A dla mnie to zawsze była sprawa drugorzędna, bo w Tobie cenię wrażliwość, serdeczność, ciepło i… poczucie humoru. Nadto lubię Twoją inteligencję i to, że nie jesteś ksobna, egoistyczna. Jesteś dobrym i mądrym człowiekiem. Tak!

Buziak, Moja śliczna Córko!

Mama

Wiesz, Mamuś, coś mi się dzisiaj przypomniało…

Mam jakieś osiem lat. Patrzę na naklejony na ścianie plakat z gazety i marzę… Marzę z całą dziecięcą naiwnością, wiarą, determinacją i nadzieją, że jak dorosnę, to będę… Murzynką! No, przynajmniej Mulatką. I że będę miała proste, czarne włosy aż do pasa, długie smukłe nogi i wielkie usta. Muszę takie mieć! Muszę koniecznie, bo takie ma ona – bogini. Kobieta doskonała. Naomi Campbell. Pamiętasz tę fazę? Kilka lat trwała moja fascynacja Naomi, którą uważałam za kobietę absolutnie nieskazitelnie piękną. Ideał, którego z moim słowiańskim pakietem genów nigdy nie będę miała szansy doścignąć. No sorry, Mamuś, ale, jak to powiedziała Twoja siostra, „nigdy smukłą brunetką nie będziesz", więc ja raczej też nie…

Piętnaście lat. Hebanowoskóra bogini wędruje do szuflady, a na ścianie zamiast niej pojawia się lustro. Zupełnie nie przypominałam Naomi. Byłam zwykła i zdecydowanie niepiękna. Tak mi mówiło lustro, więc nie zaprzeczaj, bo nie o to chodzi. Na horyzoncie pojawili się pierwsi chłopcy. W telewizji pojawiły się pierwsze zauważalne przeze mnie komedie romantyczne, a w piórniku naklejki z ulubionymi aktorami. Christopher Lambert – bezkonkurencyjny, *Nieśmiertelny*, o tajemniczym spojrzeniu. Żeby tak na mnie kiedyś spojrzał! Żeby ktokolwiek tak na mnie kiedyś spojrzał! Pojawiło się pierwsze romantyczne marzenie – chciałam, nieśmiało, ze wstydem niemal, żeby ktoś kiedyś powiedział mi: „Jesteś piękna". Najwspanialsze słowa na świecie, prawda? Coś absolutnie magicznego. Spełnienie. Szczyt szczęścia. Żeby tak patrzył i się zachwycał... Mną... Jak w filmie.

Dobiłam do dwudziestu lat. Pierwszy mężczyzna powiedział mi: „Jesteś piękna". O JEZU! Naprawdę to powiedział! Spłynęło na mnie długo wyczekiwane szczęście! Rozpłynęłam się i ściekłam z kanapy na podłogę, jak roztopione masło. Z tego szczęścia. Tę chwilę pamiętam do dziś i jestem mu za ten pierwszy raz wdzięczna.

Lat dwadzieścia siedem: „Czy mówił ci ktoś kiedyś, jaka jesteś piękna?" – Taaa, jasne...

Trzydzieści lat – już za miesiąc.

Spędziłam aktywny dzień. Momentami przyjemny, momentami nerwowy. Na pewno bardzo pracowity! Nikt nie zaprzeczy, że zasłużyłam na chwilę odpoczynku. Więc leżę. Duży leży obok mnie. Patrzy na mnie i mówi: „Piękna jesteś". Po co on tak mówi? Przecież nie po to, żeby mnie zaciągnąć do łóżka – nie musi. Ładne parę miesięcy temu mnie zaciągnął i już się do tego łóżka dość mocno przywiązałam. Przepraszać nie ma za co. Może coś chce ode mnie? Nie. „Przestań" – odpowiadam z łagodnym uśmiechem oraz dojrzałą, jak mi się wydaje, świadomością swojego ciała i swojej wartości. „Jestem dość ładna, ale piękna to na pewno nie". Nic nie odpowiedział. Nie mam pojęcia, o co mu chodzi.

Czasem zapominam, że tu, w Australii, na drugim końcu świata, mówi się innym językiem. Ten język niesie ze sobą inne znaczenia, których czasem nie jesteśmy świadomi. Kiedy wsłuchasz się w rozmowy, skupisz na przekazie, możesz wyłapać kwestie, które do tej pory całkiem ci umykały. Z zakamarków pamięci, zasłyszanych rozmów, szumu dialogów i monologów po kawałku wynurza się moje małe olśnienie: „Proszę przekazać kucharzowi, że przegrzebki są absolutnie PIĘKNE". „To mój przyjaciel – nieco narwany, ale jak się go bliżej pozna, to naprawdę PIĘKNA osoba". „O matko! To ty to sama wszystko przygotowałaś? Jaka ty jesteś PIĘKNA!".

Nie wiedziałam. Głupia i niedouczona nie wiedziałam, co dla niego i tej części świata znaczy „beautiful", zgodnie ze swoimi doświadczeniami sprowadzałam to do wąskiego zakresu mojej przeciętnej, słowiańskiej twarzy. Dobra, wspaniała, kochana, mądra, wartościowa, imponująca, inspirująca, ulubiona, smakowita, niezwykła, nieprzeciętna, bajeczna… właśnie tyle i pewnie milion jeszcze innych znaczeń niesie tu ze sobą słowo „piękna", stając się tym samym komplementem wyższym, pełniejszym, pojemniejszym i jakże, w całym tym swoim znaczeniu, pięknym!

Niedługo mam urodziny. On uważa, że „piękna" jestem teraz.

Zdmuchując świeczkę, będę życzyła sobie jednej rzeczy – chcę być tak piękna na zawsze.

Ale Naomi i tak rządzi, Mamuś… co nie?

Twoja B.

Uczciwość, co to jest na dobrą sprawę?

Mamuś,

mandat dostałam. I to, kurczę, duży mandat, za przejechanie na czerwonym świetle. Sytuacja dość absurdalna co prawda – Duży jechał wypożyczoną ciężarówką, a ja za nim naszym kombiakiem. Zanim ruszyliśmy, prosiłam go, żeby mnie nie zgubił, bo nie wzięłam telefonu, nie mam więc GPS-u, a tam, gdzie jedziemy, to ja nie mam pojęcia, gdzie to dokładnie jest. Oczywiście jechał tak, jakby jego głównym założeniem było zgubienie śledzącej go ekipy morderców i w przypływie ułańskiej fantazji śmignął na żółtym. Miałam jakąś jedną trzecią sekundy na podjęcie męskiej decyzji – śmigać za nim, czy zostać na skrzyżowaniu, stracić go z oczu, zgubić się i popłakać z nerwów, że nie wiem, gdzie jestem. I ze złości, że nie mógł jemioł zwolnić i poczekać. Śmignęłam. I stąd mandat.

I teraz, Mamuś, widzisz, przychodzi ten mandat w formie listu A4 z informacją, że dnia tego to a tego kamera zarejestrowała pojazd o takich to a takich numerach rejestracyjnych, że w momencie rejestracji zdarzenia światło było już czerwone, a pojazd w ruchu. Pod spodem kwota i ilość punktów karnych. Wszystko niby na miejscu. Mandat wisiał sobie na lodówce kilka dni, nabierając mocy prawnej, a ja odkładałam na kupkę odsetki mojej pensji, żeby ten mandat pokryć przed końcem daty ważności, a początkiem daty windykacji. Czegoś mi jednak brakowało, czegoś tam nie było, coś mnie tam wkurzało... I wiesz co, Mamuś? Do mandatu nie było załączone zdjęcie! Pogrzebałam w temacie i okazało się, że tu zdjęć się nie załącza z zasady, bo po co. Będzie okazane na wypadek sporu, ale na ten moment po co marnować papier. I jeszcze moje czerwone światło to sytuacja dość oczywista, ale mandaty po przekroczeniu prędkości wyglądają dokładnie tak samo i nikt tego nie kwestionuje. Przypomina mi to oczywiście liczne sytuacje w naszym pięknym kraju, w Polsce, kiedy sama dostawałam „pocztówkę z komendy" lub dostawali je moi znajomi: „Ej, twarzy prawie nie widać, mów, że to nie ty, przynajmniej punktów nie będzie". Zawsze można spróbować, coś zachachmęcić, czegoś się wyprzeć i liczyć, że przejdzie. Tak mamy. Tak się u nas robi. Tu? Tu dostajesz listem informację, że jakiś tydzień temu na ograniczeniu sześćdziesięciu kilometrów na godzinę jechałeś z prędkością siedemdziesięciu kilometrów i adresat mówi „aha", po czym idzie na pocztę uiścić opłatę. Nikt się nawet nie zastanawia, że a gdzie to było, że a gdzie stał radar, że może nie ja prowadziłem, że może ściemnię, że nie ja prowadziłem, a w ogóle to chyba sobie zakleję taśmą tablice rejestracyjne i zrobię z zera ósemkę. Tu się płaci. Przynajmniej ci, których ja znam. Nie ma tu tej kultury cwaniakowania i wymigiwania się, bo „skoro system mnie dyma, to ja wydymam system".

Kiedy chodziłam jeszcze do szkoły, zaraz po przyjeździe tutaj, zawsze w drodze na pociąg wpadałam po kawę do jednej z licznych ulicznych kafejek. Za swoją małą mokkę dostawałam na karcie lojalnościowej krzyżyk. Nie pieczątkę, nie dziurkę specjalnym dziurkaczem. Krzyżyk, długopisem albo flamastrem. I znów, zaprojektowana widać genetycznie, pomyślałam sobie

„ekstra, w domu sama sobie postawię jeszcze dziewięć krzyżyków i następna kawa będzie za darmo". Nawet nie wiesz, Mamuś, jak mi wstyd za to myślenie, bo pan z kawiarni nawet na to nie wpadł. Razem ze mną na kawę przychodziła tam cała masa stałych klientów – nie ja jedna w końcu miałam zwyczaj codziennego biegania na peron trzeci około godziny siódmej trzydzieści pięć. I większość z nich miała swoje karty, na których codziennie barista stawiał niebieski krzyżyk. A oni cierpliwie czekali, płacili za dziesięć kolejnych espresso i z godnością oraz uśmiechem przyjmowali jedenaste w gratisie, kiedy się już go doczekali. I wiesz co, Mamuś, na pewno są tu też ściemniacze i oszuści, ale jak miło i odświeżająco jest poczuć, że otaczają cię uczciwi ludzie!

Kolejne przykłady mnożą mi się w mózgu jeden za drugim, choćby wczorajsza rozmowa z koleżanką z pracy na temat prawa jazdy – tu przed egzaminem musisz wyjeździć bodaj sto godzin „szkoleniowych" (pod okiem dowolnej osoby dorosłej posiadającej ważne prawo jazdy) i zarejestrować je w specjalnym dzienniku, który potem składany jest w urzędzie.

– Ale kto ci wpisuje te godziny do dziennika? – spytałam.

– No sama wpisujesz – odparła koleżanka.

– Sama? Czyli mogę sobie zmyślić to wszystko i wypełnić dziennik jak chcę, w ogóle nie siadając za kółko, a urząd to przyjmie? – dopytywałam podejrzliwie.

Koleżanka spojrzała na mnie nieco dziwnie i odparła:

– No… możesz, ale po co? Wiesz, niektórzy podobno kupują taki już wypełniony dziennik gdzieś przez Internet, ale przecież lepiej to samemu wyjeździć.

O proszę, jakie to proste. A koleżanka ma ledwie dwadzieścia lat.

Chciałabym myśleć, że Ty i tatuś wychowaliście mnie na dobrego człowieka. Nigdy nie kradłam, bardzo rzadko kłamię, nie oszukuję na podatkach i nigdy nie jeździłam bez prawa jazdy. Kiedyś na próbę ukradłam pudełko zapałek w supermarkecie, a potem męczyłam się jak Raskolnikov, aż przyznałam Ci się do czynu i pojechałyśmy oddać te cholerne zapałki. Ale fakt też, że zrzynałam w szkole – ba, robienie ściąg do dziś uważam za kluczowy element edukacji, ściągam pliki z Internetu, podtuczonej koleżance mówię, że wcale nie wygląda grubo, a jako dzieciak podbierałam Ci pieniądze z portfela. Moje ręce nie są więc i nigdy nie były sterylnie czyste, mogę jednak spać spokojnie, że nigdy nie złamałam prawa karnego w skali wykraczającej poza niską szkodliwość społeczną. A znam takich, co spać dobrze nie powinni. I to znam zastraszająco dużo.

Czy mamy to wszystko, Mamuś, zwalać na naszą historię? Jak długo jeszcze możemy mówić, że tacy jesteśmy, bo nie mieliśmy wyjścia? Że w czasie wojny podziemie kwitło i to uratowało naszą kulturę, że rządy komunistów i socjalistów tak nas represjonowały, że trzeba było szukać „alternatywnych wyjść", żeby przeżyć, że w sklepach nic nie było, a jeść trzeba, że ZOMO i milicja to świnie, które trzeba tępić? To wszystko bardzo fajnie wyglądało u Barei i w opowieściach rubasznych wujaszków, ale dużo wody w Wiśle już upłynęło i chyba czas na zmianę. Mierzi mnie, kiedy słyszę „zabrali mi prawko, ale nadal jeżdżę". Nie jedź. Nie masz prawa. Złamałeś przepisy o jeden raz za dużo, odbębnij więc obowiązkowe konsekwencje, to się nazywa branie odpowiedzialności za swoje czyny, a to z kolei powinna być podstawowa cecha osoby dorosłej! Nie wiem, ile pokoleń potrzeba, aby dokonała się zmiana. Wiem za to, jak komfortowo, bezpiecznie i ciepło można się czuć, wiedząc, że sąsiad cię nie okradnie, klient nie naciągnie, a przedstawiciel państwowy nie oszuka. To stan, do którego naprawdę warto dążyć za wszelką cenę.

Idę, Mamuś, na dworzec, zabrać rower. Zostawiłam go tam w poniedziałek, a jest już czwartek, więc wypadałoby go zabrać. Nie, nie boję się, że mi go ukradną – już tyle razy go zostawiałam i to nawet na dłużej niż na trzy dni. Po prostu głupio mi, że blokuję stojak innym rowerzystom.

Buziaki!

B.

Mandat, Tyyyyyy?

O, Kochana!

Gdybyśmy miały każdy z tematów rozebrać na cząstki jak mandarynkę, nie starczyłoby nam weny, czasu i cierpliwości, a czytelnik by zasnął. Uczciwość (między innymi) jest takim tematem, który starczyłby na kolejny *Traktat przy… sprzątaniu kuchni* (to oczywiście nawiązanie do *Traktatu przy łuskaniu fasoli* Wiesława Myśliwskiego, taka rzecz filozoficzna).

Pamiętam, jak nam się świetnie filozofowało przy porządkach albo w samochodzie, gdy miałyśmy przed sobą długą trasę.

Poruszasz ważny temat, siłą rzeczy zawężasz go do uczciwości wobec prawa karnego. To dobrze, to jest prostsze, choć też niełatwe, niejednoznaczne.

Uczciwość na co dzień? Oj tam, oj tam, jaka sama mówisz – *nobody's perfect*!

Każde dziecko ma za sobą jakieś... zwędzenie. Drobne od mamy z torebki? I ja to robiłam... Wstyd mi dzisiaj, ale wtedy chęć kupienia upragnionych czereśni czy lizaka była wielka, a przecież dziecko nie zarabia. Mama (często z przyzwyczajenia lub złego nawyku czy też chęci nie rozpieszczania dziecka) mówi: NIE. No to widząc tę jawną niesprawiedliwość, wielką jak Himalaje, świsnęłam te jakieś dwa złote na czereśnie. Rozgrzeszałam się, że to przecież tylko drobne! Do czasu...

Jako pannica uległam powszechnej wówczas modzie na „świstanie szklaneczki w knajpie". Taki sport durny i wredny – dzisiaj to przyznaję, rumieniąc się, że dałam się wpuścić. Jakby idąc świadomie w kierunku prawdy, spytałam taty, opalając się na tarasie i pijąc z tej szklanki wodę gazowaną: „Fajna?".

Oczywiście doszło do tego, skąd ona w moich rękach i tato... nie był miły. Popatrzył smutny i powiedział:

„Wychowałem złodzieja?!". Ja na to, że to przecież TYLKO szklanka, a wtedy on powiedział bardzo ważne słowa: „Gosiu, złodziejstwo to system zero-jedynkowy. Nie można być tylko trochę w ciąży. Czy to grosz, czy sto milionów, zapałki czy samochód, to jest KRADZIEŻ".

Zagrał mi na sumieniu tak, że wstałam z zamysłem odwiezienia owej szklanki, ale... stłukłam ją chodakiem. Uznałam to za znak.

Mandaty płacę, bo szanuję kodeks, życie swoje i innych ludzi. Zawiniłam – trudno. Nie siadam po alkoholu za kierownicę, nie kradnę szklanek, nie oszukuję na podatkach i płacę abonament RTV. I co z tego mam? Satysfakcję? To brzmi jak „... na waciki?".

Staram się żyć najuczciwiej, jak tylko mnie na to stać i mam tu na myśli mnie i prawo karne oraz administracyjne. Tylko taka myśl coraz częściej mnie nachodzi, jak i wielu innych – czemu do licha to prawo nie jest dość przejrzyste, żeby można było spokojniej je stosować? Bo u nas jest tak, że jeśli komuś gdzieś pojawi się jakiś precedensik prawny – prawnicy nakładają na dotychczasowe rozporządzenia łatkę precedensową. I tak w rozlicznych przepisach, na przykład budowlanych, powstał taki patchwork, cery, zaszewki i łatki, że tu już nic nie jest proste i czytelne! Dwa identyczne zakłady produkcyjne o identycznych budowlach miały sprawę o to samo – o podatek od budowli (które nie są budynkami) i w zależności od województwa zapadły dwa różne wyroki! Ba! Podobnie jest w prawie karnym! Na kradzieży batonika za dziewięćdziesiąt dziewięć groszy złapano młodego człowieka o ograniczonej poczytalności, lekka schizofrenia i lekki niedorozwój. Osądzono srogo, i wio! Do więzienia! Niech wie! Ulitował się dyrektor więzienia, zapłacił jakąś kaucję czy coś i chłopaka wypuszczono. Telewizja się tym zajęła, owszem, żeby wykazać absurd (przecież o wiele więcej kosztowały sądy i pobyt w więzieniu niż skradziony towar!) i nagłośniła sprawę, ale na dyrektora ktoś doniósł, że to, co zrobił, niby jakoś się z prawem mija, bo on jako dyrektor nie ma prawa wpłacać prywatnej kaucji – miał wielkie nieprzyjemności i jakieś chyba oskarżenie prokuratorskie za przekroczenie uprawnień. Uwierzysz?

Kilka tygodni później Polską wstrząsnęła sprawa sióstr benedyktynek, z których jedna w sposób szczególny znęcała się nad powierzonymi im sierotami. Dłubiąc w sprawie, dziennikarze doszukali się wyroku, który zapadł za to przestępstwo lata temu, a zakonnica nie poszła siedzieć, bo… sąd uznał, iż jest za stara (w dniu otrzymania wyroku miała zaledwie… pięćdziesiąt dziewięć lat).

Sama wiesz, że podobnych historii przytoczyć można tysiące, ale one to właśnie są łyżką dziegciu, a właściwie bakteriami, które zakażają nas wszystkich wątpliwościami, złością, buntem. Pijanemu celebrycie nie tylko jest wystawiony mandat i odebrane prawo jazdy, ale i on jest wystawiony na pręgierz publiczny – Internet i tabloidy huczą, a lud ma używanie. Pijany czy nieuczciwy polityk, a nawet ksiądz, jest skrzętnie schowany za immunitetem, sutanną czy instytucją, która go obroni! To demoralizuje.

W Polsce, jak wiesz, mamy dziwne tablice rejestracyjne, które, jak tylko samochód zmienia właściciela czy też miejsce „zalogowania", muszą też się zmienić. Pytam, po licho? Żeby ułatwić życie złodziejom? W Korei Południowej samochód otrzymuje numery raz na całe życie i wędruje sobie z nimi od właściciela do właściciela. A jak nie zapłacisz mandatów, to w każdym wypadku sprzedaży, która musi być rejestrowana, system woła: „A kuku! ZAPŁAĆ, bo inaczej kiszka ze sprzedaży". Zresztą i z mandatami nie ma bólu – nie płacisz? Za trzecim wezwaniem system wchodzi ci na konto i ściąga należność.

Ach, to taki kamyczek właśnie do tego, co się nazywa przejrzystością prawa.

I tylko jeszcze wspomnę, że coraz częściej wiele osób w Polsce ma przeświadczenie, że prawo jest wymyślane dla przestępców, żeby ich jak najbardziej chronić. Człowiek niewinny musi wynająć prawników, żeby udowodnić swoją niewinność (podczas gdy wymiar sprawiedliwości jest od tego, żeby mu winę udowodnić i dopiero wtedy osądzać). Nadto niestety kat (przestępca) jest otoczony niebywałą troską! Ofiara – żadną.

Napastnik włazi na twoją posesję, wyłamuje zamki w twoich drzwiach, bo chce CIĘ okraść, zastrasza ciebie i twoje dzieci, wołając, że was pozabija, a ty masz w oczach przerażenie, nie tylko z tego powodu, że ktoś pogwałcił twoje immanentne terytorium, ale też dlatego, że jak kopniesz go czy uderzysz nie tak, jak to zapisano w paragrafach – będziesz osądzona za przekroczenie obrony koniecznej (osobistej). Czujesz tu jawną niesprawiedliwość, ale *dura lex*... Trzeba o tym pamiętać, gdy cię ktoś napada!

Wobec setek takich sytuacji prawnych zaczynasz mieć pretensje do rodziców, którzy wychowali cię w poszanowaniu prawa, na uczciwego i prawego człowieka. Skoro łamią je sami prawnicy, politycy, księża, prokuratorzy, czyli osoby zaufania publicznego, to dlaczego ty masz być tym jeleniem?!

Wiesz, że młodzi narodowcy oskarżeni o malowanie znaków faszystowskich w Białymstoku i pozdrawiający się hitlerowskim „heil", zostali uniewinnieni, bo przecież swastyka to TEŻ znak buddyjski, a pozdrowienie z jakimś okrzykiem prokuratura uznała za nieszkodliwe. Panowie sędziowie i prokuratorzy nie oglądali *Blaszanego bębenka*?

Ja i Siwy wciąż jeszcze jesteśmy tymi jeleniami. To wynika z poczucia tego poroża bezsilności, którą nam serwuje prawie każda stacja telewizyjna w programach dziennikarzy śledczych specjalizujących się w wykrywaniu nieuczciwości cwaniaków, pomyłek sądowych i dziurawego albo zbyt wieloznacznego prawa. Fala niezadowolenia społecznego rośnie, bo nikt nie chce się czuć frajerem! A jednak bywamy bezsilni.

Słusznie piszesz, że źródłem tego tu polskiego kłamania, kręcenia, kradzieży była nasza niefajna historia, w której właściwie każda władza łoiła nam skórę, więc w naturalny sposób nauczyliśmy się kręcić i uciekać, a to od wrednego pana wójta czy plebana, a to od zaborcy, okupanta czy „komucha" – ucieleśnienia wszystkiego, co złe. Ten ostatni do dzisiaj jest ulubionym czarnym ludem, złą Babą-Jagą, ku-kłą, na którą zwalamy tę naszą polską skłonność do unikania albo łamania prawa. A to już by pora była, żeby tę kukłę i historyczne uwarunkowania zostawić w historii! Bo, znów masz rację, upłynęło wystar-czająco dużo wody w Wiśle... A może jednak nie? Może naród specjalnie ciąga tego zasikanego pam-persa, żeby jednak kultywować filozofię Kalego? Ja-koś się usprawiedliwiać, że „jestem nieuczciwy, bo... wszyscy są!".

Pamiętam wizytę pewnej panny polskiego pocho-dzenia wychowanej we Francji, która nie mogła włas-nym uszom uwierzyć, że studenci ściągają i podkła-dają nieswoje prace. „Wszyscy tak robią" – uśmiecha-li się głupawo jej polscy koledzy, gdy ta wytrzeszczy-ła oczy i zapytała: „To co z was będzie za pożytek?! Skoro sami siebie oszukujecie, że się uczycie". Tak... U nas taka postawa to powód do uznania panny za świruskę.

Tak się zastanawiam, gdzie jest pies pogrzeba-ny? Dlaczego na przykład pełne nadziei i poczucia świętości, jasności, tak zwane pokolenie Jana Paw-ła II nie zrobiło niczego spektakularnego, żeby stać się lepszym, uczciwszym? A była przecież taka oka-zja! Skąd bierze się ten stały poziom frustracji, uniki, wykręty, nieuczciwość i wzajemne okradanie? Z wnętrza, znaczy z wychowania, wzorców i ze źle działającego prawa, które nierówno jednak mierzy ludzi, i (jakże często) z niemożności egzekwowania tegoż. Stąd też niemożność wyjścia z tego zaczarowanego kręgu nieuczciwości.

Wiesz, że okazyjnie poznany pan, pracujący jako kamerzysta w którejś telewizji, prawie w moim wieku, chwalił mi się, że w PRL-u miał taką złotówkę na żyłce do automatu telefonicznego. Zapytałam naiwnie: „Po co?". „No, to była przecież walka z systemem!", odpowiedział dumny.

Jej… W czasie okupacji wysiadano z tramwaju, przekazując sobie wzajemnie bilety i to było przeciw Niemcom, walka z ich – okupantów – systemem, ale nawet w PRL-u telefony były już nasze, dla nas! Autobusy z pięknymi siedzeniami z wiśniowej dermy, z której debile wycinali całe plastry. To też walka z systemem? Że musieliśmy jeździć takimi okaleczonymi, brzydkimi autobusami, że telefony były zepsute? Przypomniał mi się świetny wiersz Ludwika Jerzego Kerna:

DLA CIEBIE, ŻŁOBIE…

Dla ciebie, żłobie, głupszy niż barany,

My się codziennie od lat wypruwamy
W fabryce, w domu, na roli i w szkole,
Żebyś miał, żłobie, do popisu pole,
Żebyś dwa piwka mógł wziąć w rączki obie –
Dla ciebie, żłobie...

Dla ciebie, żłobie, wstajemy o świcie
I poszerzamy nasz świat, nasze życie
I ciebie mając cały czas na karku,
Klomb jeszcze zakładamy albo lampy w parku,
Żebyś po nocach miał co potłuc sobie –
Dla ciebie, żłobie...

Dla ciebie, żłobie, pomimo żeś łobuz,
My kupujemy Berlieta autobus,
Żebyś mógł wyciąć oparcie z fotela,
Na ekstraskoki, których pragnie Ela,
Albo tak tylko, bo ci się podobie –
Dla ciebie, żłobie...

Dla ciebie żłobie, o czółku niziutkim,
Z telefonami zakładamy budki,
Żebyś, gdy mortus cię przyciśnie, bracie,
Miał tę rezerwę skromną w automacie.
Wszak drobne często są potrzebne tobie –

Dla ciebie, żłobie…
Dla ciebie, żłobie, męczymy się wszyscy,
Musimy tworzyć, żebyś miał co niszczyć.
Gdyby nas wszystkich nie było, mój złoty,
Sam byś się musiał zabrać do roboty
I innych wtedy miałbyś na wątrobie –
Zrozum to, żłobie!

Dzisiejszy wandalizm też będziemy tłumaczyć nawykiem „walki z systemem"?! Mnie to kłopocze, bo ja chciałabym szanować prawo, siebie i móc mówić o sobie, że jestem uczciwa, ale mówiąc to (bo nadal jestem uczciwa), nie mam frajdy!

Wiesz, że w Polsce uważa się za doręczone pismo sądowe, gdy to zostaje wysłane z sądu? I tylko tu. Takie pismo, czy awizo, można z łatwością zachachmęcić i nie ma tak jak w amerykańskich filmach:

– Mr. Scott?

– Yes.

Facet wręcza Scottowi list z sądu, i szlus! Koniec!

– …it's serving! (Czy jak tam to brzmi).

I dopiero wtedy wezwanie uważa się za skutecznie doręczone.

U nas to tak nie działa, więc pewien pozew nigdy do mnie nie dotarł, nie dlatego, że lekceważę pozwy czy zawiadomienia. Właśnie te są dla mnie najważniejsze, uważam na nie, biegnę na pocztę, zawsze! Poczta nie odnotowała podjęcia, czyli pismo NIE DOTARŁO, a mimo to osądzono mnie poza moją świadomością, wiedzą, zaocznie. Co więcej, osoba, której na tym zależało, podobny manewr zrobiła z wyrokiem i dopiero po uprawomocnieniu się owego dowiedziałam się z SMS-a, że „Houston, mamy problem".

Niebywałe! W dobie SMS-ów, maili u nas nadal te formy komunikacji z zainteresowanym nie funkcjonują! W tak wrażliwej sferze życia jak PRAWO system ustawia mnie w roli nieuczciwej, a nieuczciwemu daje pole.

I nie dlatego, że mamy w ogóle kulawy system powiadomień, bo właśnie dostaliśmy maila, że koncert, na który kupiliśmy bilety, jest przełożony i pod tym a tym linkiem są odnotowane zmiany. Można? Dla sądów za trudne.

W takiej sytuacji czujesz się... zlekceważona, zgwałcona prawem, paragrafem. Uczciwość okazała się mało ważna. Najmniej.

Mówiąc o sobie UCZCIWA, z mety czuję ciążące mi poroże, gdy się okazuje, że mnie moja uczciwość kosztuje realne pieniądze, a krętacze i hochsztaplerzy pogwizdują przez zęby, mają tę uczciwość gdzieś i nie ponoszą za to żadnych konsekwencji! Oczywiście, że nie wszyscy, czy ja Ci to muszę mówić?

Dopiero co skończyłam dość jednak filozoficzną dysputę o prawach ludzkich, w tym o uczciwości. Tak, mam na myśli dekalog, który wcale nie jest wymysłem sprzed dwóch tysięcy lat. Już Arystoteles, pisząc o tym, co dobre, a co złe, zapożyczał swoje myśli od innych myślicieli. I kiedy tak spięli się w dyskusji ateiści i wierzący katolicy, spodobała mi się moja własna argumentacja, bo poprała ją znana obecnie dziennikarka. Otóż ja powiedziałam, że GDYBY faktycznie dekalog był tak szanowanym prawem wiernych, to żylibyśmy w raju! Wkoło sami święci! Ale wiem, widzę to i obserwuję, że dekalog jest tylko formułką do wyklepania podczas nauk kościelnych. Kościół katolicki w Polsce musi (niestety!) bardzo ostro wtrącać się w stanowienie prawa, głównie związanego z naszym pożyciem i prokreacją, bo sam dekalog i wiara jakoś… nie wystarczają! Postawiłam tezę, że GDYBY na przykład faktycznie wierzące i praktykujące panie podeszły uczciwie do dekalogu i zaleceń kościoła, to aborcji by nie było, a środki antykoncepcyjne w aptekach straciłyby datę ważności i porosły pajęczyną w swoich szufladach.

Za mną wyraziła to znakomicie nasza publicystka Eliza Michalik w wywiadzie:

„(...) zapytałam kiedyś pastora, dlaczego ewangeliccy duchowni przy okazji dyskusji o zmianach w ustawie antyaborcyjnej nie domagali się wpisania do niej całkowitego zakazu aborcji, tak jak księża katoliccy. Przecież każdy chrześcijanin uważa, że lepiej jej nie przeprowadzać. Pastor powiedział mi, że to byłaby nasza porażka ewangelizacyjna, bo my nie jesteśmy od tego, żeby ludziom nakazywać, tylko żeby przekonywać, dawać drogowskaz. Powiedział, że to kobieta będzie tłumaczyć się na Sądzie Ostatecznym, nie pastor. Że jej rozum jest tak samo dobry, jak rozum pastora.

Tymczasem polscy biskupi zachowują się tak, jakby to oni osobiście musieli się wytłumaczyć z każdej aborcji na świecie. Mam wrażenie, że tu nie chodzi o wiarę, ale o to, żeby rządzić, mówić tobie, jak masz myśleć".

Zresztą nie dalej jak wczoraj przeczytałam świetny tekst wiernej, o tym, jak bardzo rozczarowana jest swoim kościołem (katolickim), który według niej łamie większość własnych przykazań.

A jednak, wiesz, nadal chcę być uczciwa wobec tego, co mam w duszy jako osoba świecko-uczciwa. Czemu tak napisałam? Bo spotkałam się niestety z wieloma atakami, że ateista jest z gruntu neandertalem, skoro odrzuca dekalog... Tak się nas tu, w mojej Polsce, traktuje – jak jakąś dzicz, która jeśli w ogóle żyje w prawie, to jest to ewangelia i dekalog stworzone dwa tysiące lat temu. Czujesz, jaka manipulacja?! Spotkałam się też z takim politowaniem – ty, taka porządna i uczciwa, tylko tak mówisz, że nie wierzysz, a naprawdę to masz Boga w sercu! I to brzmi jak jakaś... nagroda, jakby ten ktoś wcale nie wierzył w mój ateizm i w to, że, będąc ateistką, można żyć i być uczciwym, dobrym człowiekiem, a nawet o wiele uczciwszym od niejednego wiernego, który po wyjściu ze świątyni pije, bije i okrada sąsiada, pomawia. Bo już jest poza nią!

A jestem po prostu, po ogólnoludzku, po świecku uczciwa.

Ty mi tu o rowerze, to ja Ci o autobusie. W Korei Południowej do autobusu wsiada się przodem (tylko), a wysiada środkiem (tylko). Bilety się ma elektroniczne albo kupuje się u kierowcy. On kiwa głową, gdy ty wrzucasz pieniądze do przezroczystej kasetki i jak musi wydać resztę, naciska coś w automacie i ta reszta wyskakuje do odbioru. A bilet, czyli dowód zapłaty? Nie ma! Szkoda papieru, wystarczy, że kierowca WIE. I szlus! Zapytasz, jak to z kontrolerami? Tam nie ma kontrolerów! Ludzie się na ciebie popatrzą z dezaprobatą, jeśli jedziesz na gapę, ale jeśli musisz (bo nie masz kasy, z biedy czy innego powodu), to pertraktujesz z kierowcą. Widziałam takie sytuacje. Takiemu komuś jest wstyd, ale bywają trudne chwile i nikt z tego nie robi sprawy.

Miło mi tam było być uczciwą. W samochodzie można zostawić torbę, laptopa, i właściwie nie giną! Jeśli już, to baaaardzo rzadko! Ciasny parking przed restauracją? Nic to – zostawiasz samochód z kluczykami gdzie bądź, jakby co, parkingowy przyjedzie i zaparkuje, gdy będzie wolne miejsce.

W Polsce wnoszenie torby z zakupami do sklepu jest nietaktem, w marketach albo ci foliują, albo zostawiasz w szafce, albo w ostateczności musisz mieć rachunek w torbie. W Korei zaszłam do osiedlowego spożywczaka po zakupach w innym. Pokazuję te zakupy kasjerce. Ona nie rozumie, o co chodzi. Woła inną. Tamta mi pokazuje, że oni nie kupią produktów z innego sklepu. Ja pokazuję (na migi), że nie o to chodzi, że nie oddam, to moje, ale chcę je bezpiecznie wnieść i zrobić resztę zakupów. Zero zrozumienia. Wreszcie przyszła młoda szefowa, która tyle o ile znała angielski i zrobiła najpierw oczy jak słoiki, potem wyjaśniła personelowi, o co mi chodzi, one w śmiech, a ja nie wiem w czym rzecz. Poklepała mnie po plecach i kazała iść na spoko w regały, wciąż się uśmiechając i powtarzając „no problem, no problem!". Siwy mnie w domu obśmiał. Że zrobiłam z siebie widowisko, a panie wprawiłam w konsternację, bo tu się nie kradnie. Po prostu jest zaufanie. Od tej pory miałam tu mnóstwo życzliwych uśmiechów, a pewnie pokazywano mnie sobie jako tę dziwaczkę z Europy.

Podsumowując – zaufanie i uczciwość mają wspaniały smak! Pamiętasz Amsterdam i te rowery, których nikt nigdy nie kradł, dopóki nie zaczęli przyjeżdżać ludzie ze wschodniej Europy? Jaki wstyd! Czemu kwitnie ta nieuczciwość? Czy ludzie nie wiedzą, jak fajnie żyć w kraju bezpiecznym, otwartym, w którym wiesz, że sąsiad, przechodzień, sprzedawca, nie oszwabią cię, bo wiedzą, że i ty jesteś uczciwa? *Wishful thinking…*

Żeby to miało jakiś głębszy sens u nas! A ja niestety najczęściej czuję się obserwowana i traktowana z podejrzeniem, często z założeniem, że jestem nieuczciwa z natury. Przykre i niemotywujące.

Nikt z nas, dorosłych, nie jest czysty. To prawda, mamy na sumieniu swoje grzeszki, dwa złote na czereśnie, zjechanie ze skrzyżowania na czerwonym świetle z westchnieniem „udało się" czy jakieś kłamstwa w stylu „wcale nie jesteś gruba" albo „nie przyjadę, zaziębiłam się" (a po prawdzie nie mam ochoty). Mniejsze grzechy, większe. Najczęściej nie są szkodliwe społecznie, za to, bardziej lub mniej, tłuką po sumieniu.

I wiesz, chyba jednak z nieuczciwością nie jest zero--jedynkowo, to bardziej skomplikowane, bo co z tymi, których prawo ewidentnie krzywdzi w imieniu nieuczciwych oskarżeń? Co z pomyłkami? Tak sobie rozmawialiśmy z Siwym o tych prawnych hecach i wniosek jest prosty – źle konstruowane prawo, przekombinowane, nieprzejrzyste, zbyt skomplikowane, dające zbyt wiele skrajnych możliwości interpretacyjnych, stwarza kolosalne zagrożenie dla uczciwości, bo ludzie mają jakiś rodzaj wewnętrznej busoli, kompasu, i czują, kiedy jest sprawiedliwie, a kiedy nie, i gdy ta niesprawiedliwość góruje, zwycięża – człowiek czuje chęć odwetu, złość, żal i chęć pozostania w zgodzie z sumieniem nawet wbrew prawu. To straszna demoralizacja!

U nas rower nie postoi bezpiecznie nigdzie, ani na parkingu, ani w piwnicy. A złodzieje... im cwańsi i z większym apetytem na czyjeś dobra, tym mają lepszych adwokatów, więc bywa, że są wolni, wybronieni.

Wiesz, że babcia Marynka chciała iść na prawo? Wówczas mój dziadek Bartłomiej zadał jej pytanie: „Córeńko, przypuśćmy, że wybierzesz adwokaturę. Twoim klientem będzie ewidentny zbrodniarz. Ewidentny! I ty, z racji zawodu, będziesz musiała go bronić, patrząc w twarz ofiarom owego zbrodniarza – dasz radę?". Moja mama odpowiedziała, że nie. I poszła na pedagogikę.

Cieszę się, że wychowaliśmy Was na uczciwych ludzi, i tylko zamartwiam się moją uczciwością wystawianą na ciężkie próby, bo będąc uczciwą, czuję się czasem… mamutem.

Ale się rozpisałam!

Uściski, Kochana Moja!

PS U nas zimno! Najpierw wiosna przyszła zbyt szybko i naobiecywała, a teraz mamy przyspieszonych ogrodników. Co roku na pokuszenie wodzą nas sprzedawcy sadzonek. Niecierpliwi i niewierzący w ogrodników kupują pelargonie, ogórki, niecierpki, pomidory, sałatę… I płacą podwójnie, bo natury się nie oszuka, ja nie pamiętam roku bez ogrodników, chociaż w tym roku akurat ewidentnie się pomieszało i są wcześniej, więc „zimnej Zośki" nie będzie, ale może zimny Filip? Jan, Jakub? Benedykt?

Tak czy siak, ziiiiiimna ta wiosna.

A u Ciebie właśnie zaczyna się zima…

On

Kochana Moja!

Chcę Cię wyciągnąć na drobne zwierzenia. Fakt, że zawsze umiałyśmy rozmawiać o wszystkim, ale był temat chroniony, czyli miłość, chłopcy. Jaki by nie był związek matki i córki, ten wątek zazwyczaj bywa otaczany aurą intymności. Szkodzą mu ploteczki z koleżaneczkami, z mamą czy z siostrą, bo z zasady jest to historia dwojga ludzi, a nie całej rzeszy.

Oczywiście wiedziałam, że aktualnie jest ten czy ów, bywali w naszym domu, wiedziałam, dokąd chodzicie i nawet, wiesz, mam takie jedno fajne wspomnienie z K. To była taka ładna miłość! Śliczna Ty i równie śliczny on. Kiedyś umówiliśmy się w mieście. Jechałam wolno uliczką, w której mieliście na mnie czekać, i zobaczyłam Was. Staliście pod wielkim drzewem zacałowani! Jak u Klimta! Podjechałam cicho do krawężnika i zaczekałam chwilę wzruszona bardzo, bo oto zobaczyłam Ciebie jako zakochaną i kochaną kobietę.

Hmmmm, nawet chyba zazdrościłam, bo my, dorośli, rodzice, to rzadko (chyba wcale) całujemy się na ulicy, i to tak romantycznie!

To chyba dobrze mieć przyjazną aurę w domu, szczególnie, gdy o miłość idzie, a ja miałam to przeświadczenie, że nasze Was wychowanie poszło w dobrym kierunku, więc nie muszę się obawiać, że zakochasz się w patologicznym mordercy albo gwałcicielu. To dla mnie było bardzo ważne, jak się kształtowałaś jako kobieta, co myślałaś o chłopakach, jak o nich mówiliśmy w domu. Bo ja miałam w tym względzie... pod górkę, mówiąc oględnie. Moja mama, a Twoja babcia, była uroczą, drobną kobietą, zawsze bardzo podobała się mężczyznom, ale była też bardzo ciasno ukształtowana w TYM względzie. Wyjaśniła to bardzo dobitnie i mądrze Hanna Samson w swojej książce *Miłość. Reaktywacja*, którą powinna przeczytać każda dorosła kobieta. Bywało, że mamy z czasów okupacji nie miały wzorców. Wcześnie osierocone, były kształtowane przypadkowo przez ciotki, bab-ki, koleżanki, lektury i dziwaczne życie okupacyjne, inne niż życie w czasach pokoju. Moja mama była tak zlękniona, że trafię źle, że napotkany chłopak z mety wykorzysta moją naiwność, „bo przecież oni wszyscy tacy, myślą tylko o jednym!". (Swoją drogą, jakie to niesprawiedliwe wobec romantycznych i zakochanych młodziaków i jaki brak zrozumienia!). Podświadomie nasączała mnie obawami, zrobiła najgorszą rzecz, jaką może zrobić matka – stworzyła aurę męskiego zagro-żenia i połączyła to z czystym romantyzmem, znaczy ON ma być niepokalanym rycerzem zdobywcą, a ja księżniczką z wieży. Niedotykalską i niedającą po so-bie poznać, że kocham, że mam motyle w brzuchu, że tęsknię etc… Jako zakochana panna zachowywałam się głupio i nie umiałam zupełnie pogodzić w sobie tego, że kocham, i tego, czym nasiąkłam, więc byłam niekonsekwentna i chyba irytująca.

Może pominę czasy wcześniejsze, gdy dotknię-cie dłoni ukochanej panny było gestem zapierającym młodzianowi dech w piersiach, dobrze, gdy mógł ją pocałować, jak byli już „po słowie" – ale to w tak zwa-nych dobrych domach, bo nie wiem, czy *en masse* na wsiach… Tam chyba prościej i zwyczajniej – zabawa, pole, spacer, buziak, czasem siano i ślub!

Historycznie królewny wydawano za mąż za faceta, którego znały z portretu, rycerz, któremu ofiarowywały wstążkę, nigdy nie był kandydatem! Czyli romantyzmu zero, jak śpiewała Ałła Pugaczowa, królowie nie mogą się żenić z miłości. W domach zacniejszych małżeństwa aranżowano, a miłość romantyczna była pannom znana z zakazanej literatury, mającej tyle wspólnego z życiem, co rodzenie dziecka z wiarą w boćka.

Myślę, że od powojnia miłość stała się bardziej życiowa, normalna, łatwa. Może mama miała niefajne doświadczenia, ale czemu ja miałam być ich adresatką? Takie przeczulanie młodej dziewczyny nie spowoduje, że uniknie czegoś, co ją zrani. Wszelkie nasze pierwsze miłości ranią, bo są niespełnione. Albo kochamy kogoś kompletnie nie dla nas – nauczyciela, aktora, pana z szóstego piętra, albo właśnie rozstajemy się z ukochanym, bo gdy się ma piętnaście czy szesnaście lat, rzadko zakochujemy się i już jesteśmy nierozerwalnie ze sobą do śmierci. A każde rozstanie to ból, łzy, dramaty romantyczne – wielkie!

Pamiętam mojego ucznia z ósmej klasy, który bardzo się opuścił w nauce. Jego wychowawczyni nie miała z nim kontaktu, ale mnie napuściła. „Mirek – zapytałam, gdy zechciał ze mną pogadać – co się z Tobą

dzieje? Jakieś problemy w domu? Może ktoś cię szanta-
żuje albo gnębi?". On patrzył na mnie bezradnie i kiedy
już widziałam, że mu się łzy pod powiekami zbierają,
wstał, podszedł do okna i z ciężkim westchnieniem
powiedział: „Zna pani Magdę z ósmej D? Ona chodzi
z tym wysokim Krzyśkiem. Łażą na randki tam, wkoło
jeziorka obok działek, a tam wychodzą okna mojego
pokoju. Wie pani, co ja czuję?". Wiedziałam i widziałam. Takie dramaty są po obu stronach płci!

Musiałam jakoś zawalczyć o siebie jako kobietę
normalną. Odrzuciłam mamowe wzorce i z niema-
łym trudem szukałam własnych. Choć muszę Ci się
przyznać, że jedno dobre, to wpojenie mi, że fajny
mężczyzna to taki, na którego można liczyć. Ale myślę też, że wzór taty zrobił swoje. Tata był bardzo od-
powiedzialny i zaradny. Mimo że (pamiętasz ze zdjęć)
miał tylko jedną rękę, umiał zreperować radio, ugotować pyszny obiad i zrobić mamie piękną biżuterię
z drewna i kamyczków, nadto pokazał jej, gdy wróciła
ze szpitala położniczego z lekka wystraszona nowo-
rodkiem, jak mnie wykąpać. Był moim powiernikiem,
gdy byłam zakochana jako pannica. I wiedział, jak
uprawiać działkę, gdy już został emerytem! Wzorzec
ojca jest silną pieczątką w człowieku!

Pamiętam takie świetne zdanie, które przeczytałam w felietonie Tomasza Jastruna o kobietach, które szukają miłości. Że najpierw, gdy są młode, mają wiele wzorców, żądań, marzeń, żeby był taki a taki… a z czasem te żądania, marzenia, ulegają zmianom i kiedy stara kobieta marzy o najukochańszym facecie, nie ma już znaczenia kształt dłoni czy stóp, łysy czy nie, szczupły czy nie, one zazwyczaj już tylko chcą żeby… BYŁ.

W trakcie naszego życia widzę i ja, jak mi się to zmieniło. Twój ojciec był najfajniejszym chłopakiem w całej szkole! A że nam się to po latach rozeszło? No cóż, BYWA. Ale się kumplujemy, bo to dobry człowiek.

Po latach, gdy jestem w drugim związku i patrzę na mojego Siwego, na jego zmarszczki, siwe włosy i spracowane ręce, kocham każdy cal jego ciała (zwłaszcza lubię… uszy, „ogromne, muskularne"), cenię go i szanuję, nawet gdy mamy różne zdania na jakieś tematy. Bo to też ważne – dajemy sobie granice własnej suwerenności. Zresztą zawsze je miałam, to wielka mądrość w związku normalnych ludzi i nie doprowadza to do ataku histerii, gdy na przykład chcę sobie iść do kina sama albo do Gośki na ploty czy na weekend z córką do spa, żeby odetchnąć i „nabrać urody". Podobnie mój partner/mąż może, jeśli chce, pojechać z Ryśkiem na ryby na cały weekend albo sam iść do kina na film akcji, na którym umarłabym z nudów, czy też zwyczajnie z kumplami na spotkanie po latach, z piwem i męskimi żartami.

No i znasz moje poglądy feministyczne – emancypacja tak, wojenka męsko-damska stanowczo nie. Nie znoszę wręcz tych kobiecych prychnięć na męża, dowcipów, jakie to z NICH (facetów) prymitywy i głupki, tylko dlatego, że doskonale się bawią podczas meczu. Myślę, że ten meczowy foch to jakaś forma zazdrości, bo my nie umiemy tak po dziecięcemu i całkowicie „odjechać", nawet na pokazie mody czy w sklepie z butami.

Miałam to wielkie szczęście, że otaczali mnie świetni mężczyźni. Od dziadków po kolegów, braci, kochanków, mężów (czyli Twój tata i Siwy). Żadnych patologii, schematycznych pustaków skupionych na „furze, skórze i komórze", bo po prostu tacy byli eliminowani z mety. Ale, żeby nie było tak pięknie, to oczywiście wpadłam kiedyś w sidła tak zwanego bad boya. To taki męski odpowiednik femme fatale. Tacy ludzie, nazywani „wampirami", a według nauk Junga, „biorcami", niszczą, nie dają spodziewanego szczęścia, stopniowo czujesz się z nimi coraz gorzej, aż do jakiegoś swoistego dna.

Może taką naukę trzeba przejść? Byle przed ślubem (albo poważną deklaracją), żeby, decydując się na poważny związek, wiedzieć już, że najpotrzebniejszym spoiwem oprócz miłości jest szacunek i troska, no i odkrywana dopiero teraz czułość, niegdyś skrzętnie ukrywana nawet przed domownikami, bo „nie wypada".

Dzisiaj patrzę na Starszaków, czyli Twojego starszego brata i moją synową, jak bardzo lubią i umieją okazywać sobie czułość i jak moja wnuczka pięknie wyrasta w tej czułości, jak potrzebuje „tulaków, misiaków, buziaków". Ta dzisiaj wesoła i zdobywająca coraz większą popularność czułość przeszła do kontaktów kumpelskich. Kiedyś pisałam maila z daleką koleżanką, która mocno się pochyliła nad moim ówczesnym problemem. Maila kończyła tak: „Pa, Kochana, tulaki i misiaki!". Już o szalejących dzisiaj „buziakach" nie wspominam, bo z kim się jakoś mocniej zżyjesz, ten kończy rozmowę telefoniczną „buziaki, pa!". Czyż to nie miłe?

Mnie cieszy, że mężczyźni nam zmiękli, że są czuli i umieją tę czułość okazać. Są na nią otwarci, są czulszymi kochankami i… ojcami. Zamiast straszyć dzieci, że „zobaczysz, ojciec wróci i ci wleje", dzieci ciepłych ojców wiedzą, że po buziaka, misiaka, tulaka albo po pociechę można śmiało iść do taty.

Kończę jakoś bez puenty czy mądrości życiowej, bo przywiozłam z wypadu do Lizbony fajny przepis na krokiety z dorsza oraz ziemniaków i niecierpliwie chcę wypróbować to z naszym dorszem wędzonym.

Uściski, Kochana Moja, dorosła i suwerenna kobieto!

Mama

Mamuś,

z facetami to tak jest, że albo „ja to chyba ich nigdy nie zrozumiem", albo „oni to są wszyscy tacy sami" – jak nie jedna skrajność, to druga! Są pewne schematy łatwe do przewidzenia, stereotypy, które skądś się przecież biorą, zachowania typowe dla generalnie pojętej większości… Są jednak czasem wielkie zaskoczenia i to zarówno pozytywne, jak i negatywne.

Ja niestety zawsze byłam porażająco naiwna. Może dlatego, że miałam w życiu to kolosalne szczęście – nigdy mnie nikt jakoś straszliwie nie skrzywdził, nie okłamał, nie zdradził i nie oszukał (przynajmniej nic mi o tym nie wiadomo, może się dobrze kryli, ale to też w sumie moje szczęście). Stąd ilekroć słyszę koleżanki opowiadające mi o „kolejnym sukinsynu", ja zawsze myślę, że może wcale nie taki on zły, że może naprawdę musiał wyjechać służbowo, babcia mu zachorowała, jest zraniony po poprzednim związku, a w ogóle to każdy medal ma dwie strony. Czasem okazuje się, że miałam rację, że chłopina niewinny, trzeba było tylko sobie parę rzeczy wyjaśnić – słyszę wtedy „Ty, Basia, to jesteś taka mądrusia...". Czasem jednak mylę się strasznie i za każdym razem, gdy to się wydarzy, niezmiennie zdumiewa mnie, że ktoś może być po prostu, po ludzku podły, okrutny lub cyniczny.

Piszesz, że jest teraz masa ciepłych, mądrych i dobrych facetów. Tak! Zgadzam się. Są. I żadna to dla mnie nowość, bo taki był dziadek (i jeden, i drugi), taki był tata, taki jest mój brat, mój Duży oraz wielu moich bliższych i dalszych kumpli. Taki fart życiowy, że otaczają mnie zasadniczo fajni faceci. Ale ja w tej sytuacji chciałabym poruszyć temat tych innych facetów – tych prostaków, świń, chamów i bydlaków, bo niestety w ostatnim czasie kilku udało mi się zaobserwować!

Nie dziwią Cię pewnie, Mamuś, historie o dziewczynach, które „trzepią chłopakom komórki". To są historie z pierwszej ręki, z mojego najbliższego kręgu znajomych, bo przecież „każda to robi", i z przerażeniem zauważam pewne społeczne przyzwolenie na takie naruszenie czyjejś intymności. Pierwszy typ mężczyzny, który chcę wymienić, idzie jednak o krok dalej! Nie masz nawet, Mamuś, pojęcia, ile (i to już ładnych parę lat temu) poznałam związków, w których pojawiło się śledzenie telefonu partnerki przez GPS, nakładanie na laptopa programu sczytującego hasła, by potem włamywać się na jej Facebooka czy maila, podszywać się pod nią na jej Facebooku czy mailu, podsłuchiwanie, podglądanie i wszelkiej maści manipulowanie poprzez technologię.

Typ drugi to „typowy palant". Historia to stara jak świat i aż nie mogę się nadziwić, że wciąż się przydarza. Spotykasz czarującego faceta, który zafascynowany jest tobą jak filatelista rzadkim znaczkiem. Patrzy ci w oczy, słucha z uwagą, całuje jak amant i zawsze pamięta, by zadzwonić i powiedzieć „dobranoc, piękna", zaprasza w ładne miejsca, kupuje ładne rzeczy. O jednym tylko zapomina – wspomnieć, że ma żonę. W innym wariancie żona wspominana jest już na wstępie, ale oczywiście „są na granicy separacji", ona go tylko wykorzystuje dla pieniędzy, bardzo się od siebie oddalili i w ogóle, ale to w ogóle już ze sobą nie sypiają i rozwód to tylko kwestia czasu. Oczywiście do rozwodu nigdy nie dochodzi, a ja potem latam z paczką chusteczek i butelką wina pocieszać naiwne dziewczę, które uwierzyło, że ona go uratuje z tego straszliwego kieratu. Nie spotkałam jeszcze, Mamuś, żeńskiego wariantu żonatego palanta – na to chłopaki mają jak dotąd monopol.

Typ trzeci nazywam „ale o co, kurna, chodzi?". Przebiega to zwykle tak: poznali się, pogadali, była chemia, było niesamowicie, powietrze aż gęstniało od erotycznego napięcia. Wymienili się numerami, wysłali sobie kilkadziesiąt naprawdę fajnych SMS-ów. Jasne jest, że zaiskrzyło, umówili się więc na randkę, aż tu nagle... on znika. Przestaje pisać, przestaje dzwonić, na randkę się nie stawia, wykręca się jakimś cienkim jak sznurowadło alibi, wyrzuca ją ze znajomych na Facebooku i do dziś nie wiadomo, co się tak naprawdę stało. Mówi się przecież, że oni są prości, więc jak mu nie pasujesz, to już nie zadzwoni. Po męsku. Ale oni dzwonią, SMS-ują, czarują przez wszelkie możliwe portale i technologie. A potem nagle koniec, i to nawet bez próby zaciągnięcia do łóżka! Kolekcjonerzy numerów telefonów? Chorobliwie nieśmiali? Nie wiem, ale dziewczyna zostaje po takiej sytuacji zagubiona, skołowana i z bardzo mocno podkopanym poczuciem własnej wartości, bo przecież „na pewno uznał, że jestem brzydka/gruba/ beznadziejna".

Jak ze wszystkim na świecie tak i wśród chłopów panuje i zawsze będzie panować równowaga – jak świat światem są zacni i są zafajdani, trzeba ileś tych żab pocałować, żeby się w końcu objawił książę. I to samo z kobietami, nie oszukujmy się, w naszej nacji też znaleźć można prawdziwe zakały i zgniłe jajka.

Rzekomo Einstein powiedział kiedyś, że definicją głupoty jest robienie w kółko tej samej rzeczy, oczekując odmiennych rezultatów. No cóż... Kto bez winy, niech pierwszy rzuci kamieniem. Sama często pakowałam się w to samo bajoro, wierząc, że „on się zmieni", „on jest inny", „nam się uda". Nie zmienił się, nie był inny i się nie udało, ale wiesz co? Może to ja też nie byłam dla niego tą księżniczką. Może jeden czy drugi siedzi teraz i zastanawia się: „Rany boskie, co ja w tej heterze widziałem?".

Moje kilka lat doświadczeń damsko-męskich pozwoliło mi na wykucie pewnej filozofii – otóż partner idealny to nie taki, który ma same zalety, ale taki, którego wady przeszkadzają nam najmniej. Kluczem do sukcesu jest dopasowanie charakterów, oczekiwań i potrzeb, a wtedy zdarzają się cuda, że nawet największy „typowy palant" jednak się rozwiedzie (zdarza się!), facet-zagadka jednak zjawi się na randce, a obsesyjnie śledzący w końcu da się namówić na terapię u boku mądrej i cierpliwej partnerki i rodzą się z tego czasami bardzo fajne związki.

Sama jestem mocno nieidealna – raptem parę dni temu z przerażeniem otrząsnęłam się po ataku jakiejś absurdalnej histerii o nic, zamilkłam i popatrzyłam z lękiem na Dużego, czy już mu się przelało, czy nie trzaśnie zaraz drzwiami. Nieśmiało przeprosiłam, a on tylko zaśmiał się i powiedział: „Jaka histeria? Ten foch, co miałaś wcześniej? E tam. Pikuś". Odetchnęłam z ulgą. Poszłam do sypialni, zostawiając go sam na sam z tą durną grą na iPadzie, spojrzałam na walające się po podłodze wczorajsze skarpety, obleśny, ale oczywiście ulubiony T-shirt z wielgachną dziurą przy szwie i pustą butlę po mleku truskawkowym. I wiesz co, Mamuś? To wszystko pikuś!

Mama, tata i ja

Córeńko! Teraz Cię zahaczę o ten czarowny wielokąt, którego podstawą jest mama i tata, a reszta to dzieci. Czyli mam na myśli rodzinę, tę podstawową jej jednostkę. Laura Esquivel (ta od *Przepiórek w płatkach róż*) napisała:

„Jedyny sposób, by osiągnąć równowagę między elementami żeńskim i męskim, to uświęcić dom. Na całym świecie ludzie spędzają godziny na dojazdach do pracy, jedzą byle co na ulicach, do domu wracają wykończeni, ich czas z dziećmi, z małżonkami jest jałowy. Zaburzyliśmy równowagę w naturze i w naszym życiu. Musimy przypomnieć sobie, że nie jesteśmy jedynie konsumentami i producentami. My jesteśmy światłem!".

Autorka *Przepiórek w płatkach róż* powiedziała to, w co wierzę od bardzo dawna. Moja mama powtarzała mi, gdy dorastałam i rozmawiałyśmy o dzieciach (pamiętasz wszak, że babcia była pedagogiem), że dziecko najbardziej na świecie potrzebuje od rodziców miłości, poczucia akceptacji i poczucia bezpieczeństwa. Nie kasy, dostatku i prezentów. Szlus, amen, koniec!

Jako dojrzewająca kobieta zetknęłam się oczywiście z wszelkimi hasłami feminizmu, z singlizmem, a przedtem z hasłami hippie: *Make love not war* i z modą na życie w komunie, w której „wszystkie dzieci nasze są". To od początku budziło mój sprzeciw. Wszystko, tylko nie to! Nie wolno dziecka odzierać z bliskiej rodziny i miłości mamy i taty. Mamowe ręce i tatowe ramiona, owo bezpieczeństwo, miłość i akceptację w literaturze znalazłam już jako dziesięciolatka, kiedy przeczytałam i pokochałam na wieki *Dzieci z Bullerbyn*.

Rodzice, dom – coś niezwykle trwałego i zwyczajnego, biednie, ale słonecznie, serdecznie i przyjaźnie. Chyba każde dziecko czytając książkę Astrid Lindgren czuło, że Lasse, Bosse, Lisa i ich przyjaciele wychowują się w cieple, w świecie bezpiecznym, najlepszym dla dziecka. Potem można iść i zawojować świat!

Jako licealistka trafiłam na *Ziele na kraterze* – opowieść o rodzinie Melchiora Wańkowicza. O tym, że mama Królik to kochane łapki, które głaszczą na noc i dmuchają na stłuczone kolano, ale to też mama mająca żelazne zasady, że tatko King jest „uobziedliwy", bo śmieje się, podkpiwa, ale kto, jak nie on, pobudza ambicje, zabiera na wyprawy i opowiada o świecie. W listach Melchiora Wańkowicza i Krysi miłość jest bezbrzeżna, wielka, bo prawdziwie rodzicielska (i koleżeńska, bo King marzył o tym, że Krysia też będzie pisać), a przez powstanie i jej śmierć w nim – tragiczna.

Myślę o sobie, jakie miałam szczęście, że urodziłam się w podobnej rodzinie, że taka jeszcze wtedy panowała moda na szacunek i miłość. Żadnych awantur między rodzicami. Mama od surowych zasad, ale i od głaskania na noc oraz zaklejania plasterkiem zranienia, a tatko od zwierzeń dziecka, głośnego czytania, wspólnych wypadów na ryby, rozmów od serca i tajemnic moich dziewczyńskich. On był powiernikiem!

Wiesz, pamiętam mój ciężki stan chorobowy. Sama w domu, chora na odrę, mam jakieś czternaście lat. Nagle dostaję ataku wyrostka. Przyjeżdża tatko. Mama ma radę pedagogiczną. Mówię w gorączce: „Tatku, zawołaj mamę!". On na to: „Podam ci leki, zaraz dam ci pić, kochanie, mama jest w szkole", a ja swoje: „Nie, ty jesteś od hulanek i swawoli, a jak nieszczęście – to mama. Dzwoń!". Zanim mamie udało się urwać z rady, tatko wezwał pogotowie i zatamował mi krwotok z nosa swoim ałunem od zacięć przy goleniu.

Wzruszyła mnie też opowieść Krystyny Jandy o tym, jak jej starzejący się rodzice zamieszkali z nią, jej mężem i dziećmi. Pani Krystyna po przedstawieniu w teatrze wróciła do domu, pod Warszawę, późno. Drzwi otworzył tata i zaniepokojony powiedział coś w stylu: „Krysiu, dziecko drogie, tak późno wracasz!? Chcesz herbaty?". I Pani Krystyna, kobieta pięćdziesięcioletnia już wówczas, napisała, że to było cudowne uczucie, że oto niby dorosła jest, a jej ojciec stale jest troskliwym ojcem Krysi.

Na przeciwległym biegunie tej mądrej miłości są rodziny złe. I prawdę mówiąc, zawsze takie były – niewydolne, odsuwające dzieci od siebie w ręce guwernerów i nianiek, każące do siebie mówić „pani matko", „panie ojcze". Były też dzieci całkiem opuszczone w wiktoriańskiej Anglii, w powojennej Rosji (bezprizornyje), i w dzisiejszych czasach też pełno jest sierot – w Rosji, Indiach etc. Garną się do siebie, tworzą bandy, grupy, w których zło jest na porządku dziennym.

Wiesz, że wreszcie obejrzałam *Salę samobójców*? Smutny film. Jak wiele innych mówiących o problemie bezrodzinności. Zadawaniu bólu dzieciakowi brakiem miłości, tworzeniem neurastenika.

Jedni mają wszystko oprócz zainteresowania roszczeniowych rodziców, a inni nie mają niczego, nawet rodziców. Jakichkolwiek – biedne dzieciaki.

Zawsze już będę powtarzać za Laurą Esquivel, za mądrymi kobietami, mężczyznami (a może oni też powtarzają za mną?), że jak dotąd nie wymyślono niczego lepszego niż kochająca rodzina. Czy rodzina z modelem tata plus tata albo mama plus mama jest rodziną w pełni satysfakcjonującą i prawidłowo kształtującą dziecko? Nie wiemy, bo to dopiero eksperyment na żywym organizmie. Przekonamy się. Na razie faktem jest, że dziecko w komunie, bez tego intymnego świata rodziny, czuje się i rozwija źle. Mówią dzisiaj o tym dzieci wychowane w komunach hippisowskich. A w rodzinach mama plus mama i tata plus tata? Sądzę, że też może otrzymać wsparcie, mądrość, współczucie, miłość i akceptację. Ale, jak wiesz, są przeciwnicy... Życie pokaże.

Tak czy inaczej, ludzie mający mądrych i kochających rodziców sami (najczęściej) stają się kochającymi rodzicami. Są mocniejsi psychicznie, weselsi. Bo i prawdą jest, że możemy pracować do upadłego, zdobywać i naprawiać, walczyć i wojować, a regenerujemy się w domu, w którym jest uśmiech, miłość, rosół i aspiryna jakby co, żarty rodzeństwa, troska dziadków. Bezpieczna kraina.

Mam święte przeświadczenie, że byliśmy Wam opoką i wsparciem i że Wy jako rodzice też będziecie bezpieczną krainą dla Waszych pociech.

Pa, Kochana Moja, jestem zmęczona, niby się nie napracowałam mocno, ot zwykłe dreptanie domowo-ogrodowe, ale chyba położę się wcześniej i poczytam coś rodzinnego. Może przypomnę sobie *Ziele na kraterze*? Pamiętasz, jak Ci czytałam na głos w Korbielowie? Byłaś już dorosła. Czytałam Ci po nartach, kiedy obie popijałyśmy margaritę z tequili i śniegu zza okna (!) z sokiem cytrynowym. Wszak cała Polska czytała wówczas dzieciom!

Mama

Mamuś!

Pamiętam ☺.

Fakt, tak jak i Ty, ja też natknęłam się w życiu na różnorakie rodziny i różnorakie w tych rodzinach relacje. Widziałam rodziców przyssanych do swoich dzieci jak huby, wiszących im na kieszeniach i sumieniach, sączących niekończący się strumień wyrzutów i żali. Widziałam rodziny „Wańkowiczów", takie autentycznie bliskie, gdzie pokolenia szanują się wzajemnie, łakną wzajemnego kontaktu i akceptują swoją odrębność. Widziałam rodziny porozjeżdżane po kraju, a nawet całym świecie, z kontaktem ograniczającym się do krótkiego telefonu na święta. Widziałam rodzinne batalie, wojny, dramaty i rozpady. Czasem wyzwiska, pozwy i nieodwracalnie raniące słowa. Wszystkie te historie miały jednak zawsze pewien wspólny mianownik – każda z zaangażowanych osób, jakkolwiekby się nie starała, zawsze w jakimś zakresie, dziedzinie czy stopniu była DOKŁADNIE jak jej rodzic, niezależnie – ukochany, znienawidzony czy obojętny.

Ja Ci się bez bicia, Mamuś, przyznam, że kiedyś myślałam, że to klątwa. Że odziedziczę po Was wszystkie Wasze wady, że podczas awantury z ukochanym usłyszę „jesteś taka sama jak twoja matka!", że nigdy nie ucieknę od porównań, które niezwykle mnie wtedy irytowały. Chciałam być sobą! Jednostką indywidualną, oryginalną i unikalną. Nie chciałam słyszeć, że wyglądam jak ktoś, że brzmię jak ktoś, że coś robię jak ktoś – NIE! „Ja jestem model 2.0 – jestem inna i lepsza!", myślałam.

Dziś wiem, że to najnaturalniejsza rzecz na świecie – dziecko jest jak materia, którą formują ręce artysty. Czasem są to ręce geniusza, a czasem są niesprawne, dysfunkcyjne, brutalne lub niedbałe. Czasem chcielibyśmy się tego artysty wyprzeć, nie możemy zaakceptować faktu, że jego odciski palców widać w każdym zakątku naszego „ja". Uwiera nas, że artysta stworzył nas na swoje niedoskonałe i wadliwe podobieństwo. Mówi się, że w innych ludziach najbardziej drażnią nas nasze własne wady i tu jest właśnie pies pogrzebany, zwłaszcza w relacjach rodzic–dziecko. Milion razy po awanturze z moim partnerem łapałam się na tym, że prowadziłam dyskusję zupełnie jak Ty i że stosuję te same „chwyty" jak Ty, „chwyty", które obserwowałam u Ciebie nieraz i które doprowadzały mnie do furii, gdy byłam ich odbiorcą! Odciski palców...

Staram się zawsze jednak pamiętać, że wiele rzeczy można w sobie kontrolować, a świadomość tego, co i dlaczego chcemy w sobie zmienić, jest już połową sukcesu. Sama, Mamuś, wiesz, że czasem za wszelką cenę staramy się być inni niż nasi rodzice, działać odwrotnie, lepiej, mądrzej, sprawniej. Nie popełniać ich błędów. Nie powielać ich scenariuszy. Nie iść ich ścieżką. Bo nie. Bo honor nam nie pozwala, bo nie znosimy porównań. Bo nie chcemy być kopią. Bardzo łatwo się w taką ucieczkę zapędzić, niestety często im bardziej uciekamy, tym bliżej jesteśmy. Zapominamy, że nasi rodzice dokładnie tak samo się szarpali, żeby nie być jak dziadkowie, więc siłą rzeczy znów powielamy schemat… Ironia.

Wysoki sądzie, jestem jak moi rodzice. Jestem mieszanką Waszych wad, zalet, talentów czy skłonności, już zawsze będę Waszym odzwierciedleniem i spuścizną. To ja. Model 2.0 – równie niedoskonały jak oryginał. Ale tak jak i moi twórcy mam od Boga dar wolnej woli. Mogę decydować, co z tego dziedzictwa będzie dominującą częścią mnie, a co nie. Przez dwadzieścia pięć lat nie umiałam przepraszać, bo u nas się nie przepraszało – u nas się dyskutowało, aż ktoś wygrał, i tyle. Czas mijał, a napotkani przeze mnie ludzie przeprosin oczekiwali, potrzebowali. Więc się nauczyłam. Wytresowałam swoją dumę, wyćwiczyłam aparat mowy – teraz ponoć przepraszam za często. To i milion podobnych drobiazgów zauważam w sobie każdego dnia. Siadam wtedy spokojnie i zastanawiam się – to mi się w sobie podoba, nad tym muszę popracować, a tego nie powinnam robić wcale, więc następnym razem muszę się pilnować. Tyle. Tylko i aż tyle.

Na zakończenie przypomniał mi się cytat z moich ukochanych *Przyjaciół*, który będzie tu chyba idealną puentą:

„Całe życie tak bardzo starałam się nie być jak moja matka, że nawet nie zauważyłam, kiedy stałam się jak mój ojciec!".

Mamuś – uwielbiam Cię i zawsze będę.

Jestem przecież podobno zupełnie taka jak Ty!

Bida, pani kochana, czyli o stanie… niedostatku

Mamuś,
odpowiadam na Twoje pytanie sprzed kilku dni: z pieniędzmi sobie radzę, choć na szastanie nie starcza. Innymi słowy – bida kontrolowana.

Kto mnie, Mamuś, nauczył, żeby zawsze szanować każdy pieniążek, zawsze podnieść z ziemi, jeśli leży, choćby był brudny czy w kałuży? Pachnie mi to chyba babcią Jasią. W końcu to księgowa była i każdy grosz się dla niej liczył! Podnoszę więc, chucham, wycieram o spodnie, jeśli ubłocony, chowam w kieszeń i staram się zawsze kilka dni przy sobie taką znajdę potrzymać, zanim w końcu zostanie na coś wydana. Wierzę, że jak pochylisz się po pieniądz dosłownie,

to go metaforycznie znajdziesz i może dlatego, Mamuś, jakoś nigdy nie jest u mnie aż tak źle, żebym
w ogóle pieniędzy nie miała. Bywa ciężko, oj bywa!
Bywa ciężko bardzo, ale zwykle, kiedy dochodzę już
do samej granicy, wtedy coś się przytrafia – komuś się
przypomina, że był mi winny, wpada jakieś małe zle-
cenie na tłumaczenie czy napisanie paru słów, pensja
przyjdzie ciut wcześniej, zwrot z podatku się objawi...
Podnoszę więc z fanatyczną konsekwencją wszystkie
pordzewiałe, niskonominałowe krążki (jakoś pięcio-
złotówek nikt nigdy nie gubi...), bo warto!

Usłyszałam wczoraj od Anki taki cytat: „Pieniądze
szczęścia nie dają – to slogan wymyślony przez boga-
tych, żeby biednym nie było przykro". Ha, no właśnie tak, drodzy państwo! Pamiętam jak dziś mojego
kumpla ze studiów, który w knajpie zapłacił rachunek,
po czym westchnął: „kurna, nie mam w tym miesiącu w ogóle kasy", i ze smutkiem zatrzasnął portfel,
w którym przyuważyłam co najmniej pięć stuzło-
towych banknotów – ciężko było zresztą nie przy-
uważyć, bo portfel się niemal nie dopinał. Zupełnie
niezłośliwie stwierdzam, że w jego świecie, przy jego
trybie życia, przyzwyczajeniach i wydatkach te „tylko
pięćset złotych" to pewnie naprawdę był „brak kasy",
bo punkt startowy miał inny niż moja przyjaciółka,

która w sklepie rozważała, czy kupić na śniadanie płatki czy serek wiejski, bo na obie rzeczy by jej nie starczyło. Brak brakowi nierówny...

Czym więc jest moja bieda? Otóż, Mamuś, martwić się nie musisz. Czynsz opłaciłam, robię to zawsze tego samego dnia, którego wpływa pensja, zgodnie z naukami babci Jasi – najpierw koszty stałe, potem koszty zmienne, a jak coś ci zostanie, to idź do kina! Tu w Australii zresztą jest tak, że zarówno pensja, jak i czynsz są w systemie tygodniowym, a nie miesięcznym. Nawet nie wiesz, jak to ułatwia zarządzanie budżetem! W Polsce, gdy dostawałam pensję, to płaciłam rachunki, robiłam duże zakupy i super, zostawało jeszcze na koncie parę dobrych stów na szaleństwa. W drugim tygodniu miesiąca tę parę szaleństw się zaliczało, by w tygodniu trzecim stwierdzić, że, kurczę, coraz mniej tych złotówek na koncie i w końcu tydzień czwarty przeżyć ledwo i z morderczo zaciśniętym pasem. Tu? Pensja w czwartek, w piątek rano czynsz, po południu zakupy. W weekend można zaliczyć kino, wyprzedaże albo tajską zupę z pierożkami. Po weekendzie wracam do pracy, więc tylko bilet i redbulla trzeba kupić, a w czwartek już kolejny przelew! Bez stresów, bez syndromu „końca miesiąca", bez pożyczania od znajomych. Podoba mi się ten system niezmiernie!

Do kina chodzimy we wtorki, bo wtedy są tańsze bilety i bierzemy ze sobą przegryzki kupione za normalne pieniądze w sklepie obok kina. No, chyba że nas naprawdę najdzie ochota na popcorn, wiesz, jak to cholerstwo pachnie… Na zakupy ciuchowe chodzimy rzadko – ja najbardziej lubię Vinniesa, czyli charytatywne lumpeksy fundacji Saint Vincent de Paul. Pamiętasz, Mamuś, już lata temu stwierdziłyśmy, że lepiej kupić trzy bluzki po dychu i nawet dwie za miesiąc wywalić, niż jedną za dwieście i potem ubolewać, że jednak się nam nie podoba. A tak mam Billabonga, Esprita czy Zarę, ino z drugiej ręki i za dziesięć procent ceny z metki. Fakt, że to używane, mnie nie uwiera – upiorę i mam jak nowe. Duży jest przywiązany do swojej garderoby i nie bawi go zbytnio poszerzanie asortymentu – swoje ulubione koszulki będzie nosił, aż je znosi do śmierci. Dosłownie – ma dwie z widocznymi DZIURAMI, ale wywalić nie pozwala. Dopóki nosi je tylko do pracy, która polega na czołganiu się pod podłogą albo wpełzaniu na dach, to mi to jakoś specjalnie nie przeszkadza. Zresztą kupowanie mu ciuchów kończy się zwykle frustracją i przygnębieniem, bo kiedy coś już mu się naprawdę spodoba, to panie patrzą z przerażeniem na jego rozmiaro-wzrost i mówią: „No, niestety, XXXL chyba nie mamy…”.

Bieda uczy też szacunku do tego, co się ma – wiem, nie odkrywałam tu Ameryki, ale cieszę się własną edukacją. Szłam ostatnio przez centrum handlowe – wielkie, piękne, doskonale wyposażone. Widziałam bardzo fajne buty, ze dwie torebki, parę ciuchów... ale za każdym razem wahałam się. Przecież torebki noszę trzy na zmianę i nie potrzebuję czwartej. Butów mam aż za dużo, a bluzki to mi się już nie mieszczą na półce. No to po co kolejna? W domu przejrzałam, co mam. Rzeczy dawno nie noszone położyłam na wierzchu, a znoszone szlagiery na spód. Mam taką spódnicę do ziemi, którą miałam na sobie tylko raz, koszulę nigdy nawet nie włożoną, a tę brązową torebkę to trzymam „na lepsze czasy", cholera wie, po co. Wezmę ją jutro do pracy! I proszę – mogłam wydać dziś masę pieniędzy, ale się powstrzymałam, po czym te niewydane, a więc poniekąd zaoszczędzone pieniądze wpłaciłam na kartę kredytową – żadne zakupy nie cieszą tak, jak frajda spłacenia zadłużenia, które ciąży jak kotwica u szyi! Wiesz, że spłaciliśmy już jedną kredytówkę? Do zera! Pocięłam ją z radością wielkimi nożycami – bieda biedą, ale długów nienawidzę!

Jedna rzecz, Mamuś, na której nie oszczędzamy, to zdrowie – możesz być spokojna. Ostatnio zrobiłam sobie komplet badań, wykupiłam wszystkie recepty, wszystkie wyniki mam aktualne i czyste jak łza. Tu mogę śmiało i z ulgą spojrzeć sobie w oczy, że biedna nie jestem, bo mnie na takie rzeczy stać. Cytologia, leczenie kanałowe Dużego, insulina, plastry antykoncepcyjne, morfologia, wycięcie znamienia z dziwnym kolorem – to jest łącznie całkiem spora góra pieniędzy, ale to nie są zakupy – to jest nasze życie, a jak to mówiła babcia Jasia: „najważniejsze, żebyśmy zdrowi byli".

Muszę kończyć, mieszkanie się samo nie posprząta. A szkoda! ☺

Buziaki!

Kochana Moja!

Oczywiście uściślijmy, że rozmawiamy o stanie niedostatku, a nie biedzie ustawicznej, ciężkiej, dojmującej i upadlającej.

Ty wiesz, że babcia Marynka nigdy nie mówiła, iż podczas wojny czy okupacji była bieda? Mówiła, że był wielki niedostatek, ale jeśli można było w najgorszym czasie (w Pruszkowie) zdobyć jakieś ziemniaki i jeść je odsmażane na oleju rycynowym, który dostały z siostrą od jakiegoś aptekarza, i jeśli wystarczało

tych ziemniaków dla kota, „to jaka bieda?" – mówiła.
Dzielni byli nasi rodzice... Więc nie, nie znasz dojmującej biedy, dlatego łatwo mówisz słowo „bieda",
gdy myślisz o niedostatku. Ale to dobrze! Znaczy to,
że cierpisz tylko na niedostatek, a to można godnie
znosić. Nie gniewasz się za ten wtręt, prawda?

Babcia Jasia. To ona jest (choć już jej nie ma) Twoją,
moją i ojca mentorką, jeśli idzie o oszczędzanie i dawanie
sobie rady bez pożyczek. Nigdy od nikogo nie pożyczała!
I pamiętasz, że jako księgowa prowadziła swoje zeszyty
wydatków? Codziennie wieczorem siadała i zapisywała
ołówkiem (lata pięćdziesiąte, sześćdziesiąte), a potem już
długopisem, codzienne zestawienie wydatków. Tak gospodarowała ich małymi pensjami (jej i dziadka), że zawsze miała wszystko na maluśki plus! Tym plusem było
kino – ich wielka frajda, bo oboje zawsze, co niedziela,
chodzili z chłopcami na poranki i raz w miesiącu razem
na jakiś wieczorny seans do kina Skarpa.

Była niezwykle gospodarna i zaradna. W czasach,
gdy w Polsce (dasz wiarę?!) wędzony dorsz był najtańszą rybą (słynne „Jedzcie dorsze, gówno gorsze" –
nie wiem, co za debil to wymyślił), ona go kupowała,
skubała, obierała ze skóry i ości i dodawała siekanej
cebulki, pieprzu, oleju, skrapiała lekko octem, a potem, w lepszych czasach, cytryną (bo jadała tę sałatkę

do późnej starości). To było pyszne! Zawsze jak trafię, drogiego dzisiaj, wędzonego dorsza, to robię to z pamięcią o mojej ukochanej teściowej!

Wiele mnie nauczyła, na przykład jak robić pyszną pieczeń z pręgi wołowej. Mięso jest pokręcone, żyłkowane, ale jak się je długo dusi we własnym sosiku, takim z cebulką i marchewką, pieprzem i liściem laurowym, to ono się rozkleja, nie ma długich włókien (w zęby nie włazi), a odpowiednio przyprawione jest doprawdy rarytasem! Włosi i Francuzi coś o tym wiedzą! I wiesz, w czasach kartkowych pręga wołowa z wielgachnym gnatem była sprzedawana na odcinek „wołowina z kością" – w całości! Chętnie kupowałam pręgę przednią, tylną – obojętnie, a gospodynie kręciły na nią nosem. Panie sklepowe rąbały mi ją na kilka kawałków wielką masarską siekierą. I ja wracałam do domu jak pitekantropus do jaskini z nogą mamuta. Wszak to kość „cukrowa", jak o niej mówiono przed wojną, czyli szpikowa. Na niej rosół był bajecznie pyszny! A gorący szpik, jako klejnocik, moja mama nakładała na razowiec, soliła, pieprzyła i zjadałyśmy to, mrużąc oczy z zachwytu. A sztuka mięsa z pręgi... marzenie!

Mama opowiadała mi, że gdy tuż po wojnie dostała nakaz pracy w Lidzbarku Warmińskim, pojechała tam z siostrą. Od władz dostały jakiś domeczek

i niemiecką gosposię, która nie chciała stamtąd wy-
jeżdżać. Nazywała się fräulein Elizabeth Lipowski.
Dostały też worek mąki, worek ziemniaków, flaszkę
bimbru i troszkę cukru. Fräulein z mety skombino-
wała gdzieś niewielką beczkę kiszonej kapusty. I tak
tym żyły ponad dwa miesiące. Fräulein znała setki ro-
dzajów klusek, więc jadły syto. Mama nie mogła się
nadziwić, ile może być potraw z mąki, ziemniaków
i kapuchy! Bardzo serdecznie traktowały ową fräulein,
z wzajemnością. Ona skończyła szkołę gospodarstwa
domowego i umiała wszystko! Ze starych kapeluszy
robiła im ranne kapcie, szyła, szydełkowała i ogarnia-
ła dom jak dobra ciotka.

Gotować nauczył mnie mój tatko, więc nawet
w tych dość trudnych czasach, gdy obowiązywa-
ła reglamentacja, radziłam sobie doskonale. Byliśmy z Twoim tatą, no, niezbyt zamożni. Oszczędzanie i wymyślanie było nie tylko koniecznością, ale
i moim... hobby?

Nauczona przez moja mamę nie marudziłam, tylko
kombinowałam, jak tu dać radę? Mama i moja te-
ściowa, Jasia, a i babcia Stasia, i tatko, i reszta „dziadów rodzinnych", często opowiadali, jak było podczas okupacji, jak się robiło rybę po grecku bez ryby,
piło herbatę z marchwi, robiło piernik z marchwią,

marchwianą marmoladę, jak ze stynek robiło się kotlety rybne i zupę plujkę podczas powstania... i całe mnóstwo innych ciekawostek.

Dlatego czasy kartkowe były dla mnie wyzwaniem, a nie męką i okazją do jęczenia. Mama mi powiedziała: „Daj spokój, ile można utyskiwać? Trzeba żyć! Najlepiej jak umiemy! Nie uprzykrzajmy sobie życia!".

Wiele osób dzisiaj wspomina czasy kartkowe jak jakąś straszną tragedię. Ale babcia Jasia, mama, ciotki, które przeżyły wojnę, machały ręką, mówiąc, że cóż, wesoło nie jest, ale przynajmniej bomby na łeb nie lecą i łapanek nie ma, damy radę!

Stwierdziłam, że poniżej mojej godności jest dreptanie w kolejkę do mięsnego o czwartej rano po jakiś zuchelek szynki. MOWY nie ma! Mam swoją godność! Ruszyłam konceptem i znalazłam w Warszawie dwie końskie jatki. A w nich mięso i wędliny bez kartek! Podczas okupacji też jedzono koninę. Trudno.

Na działkach facet hodował nutrie, więc raz na jakiś czas był „królik w śmietanie", a nasza polska Julia Child, czyli pani Irena Gumowska, serwowała w prasie masę przepisów na „coś z niczego". Na przykład pasztet z fasoli – była za to wyśmiewana, ale dzisiaj w sklepach eko ów pasztet z fasoli czy soi kupują ortorektycy i smakosze vege.

Pamiętam taką zimę. Staś miał ze cztery lata, Ty mała, w spacerówce, gdy mi ktoś na ulicy Saskiej szepnął, że na Woli, w Hali Banacha, dają na dowód osobisty po dwie flaszki oleju! Pojechałam! Dwoma autobusami i tramwajem. W tamtych czasach każdy pomagał wsiąść do środka lokomocji kobiecie z wózkiem, więc to nie był żaden problem! Stanęłam w długaśnej kolejce, która zresztą szybko szła.

Gdy wreszcie doszłam do ekspedientki pokazałam dowód, ona ogarnęła Was wzrokiem i dodała mi jeszcze dwie butelki! Wracałam zwycięsko z czterema flaszkami oleju!

Ty też pewnie pamiętasz, jak ojciec przyprowadził kolegę, Rosjanina, który po tygodniu przywiózł nam ze swoich zapasów drewnianą skrzynkę z rosyjskim olejem słonecznikowym, tyle że tłoczonym na zimno. Ja lubiłam tego „śmierdziucha" bardzo, miał charakterystyczny smak, jak wszystkie inne oleje tłoczone na zimno. Dzisiaj trudno taki kupić. Trzeba szukać w sklepach ze zdrową żywnością (jakby inna żywność była chora... a może według niektórych ortorektyków jest?).

Pamiętam także problemy z papierosami, bo Twój ojciec jednak palił. Mój serdeczny znajomy, rosyjski Żyd z Petersburga (wtedy jeszcze Leningrad), sam niepalący, wysyłał nam paczki, a w nich dla taty papierosy „Zołotoje Runo", miód i jakieś cukierki dla Was, konserwy mięsne... Sam był biedny – pracował jako wykładowca matematyki na politechnice i miał żonę z córeczką na utrzymaniu. To było bardzo wzruszające.

Pamiętasz też nasz blok. Sąsiadki-ciocie. Wspominałam Ci już, że z kilkoma – panią Renią, Basią i Marysią – umówiłyśmy się, że jak sobie pożyczamy sól czy jajko, to nie oddajemy! Bo to się w efekcie zawsze jakoś wyrówna. I tak było! Jak robiłam pierogi czy żelazne kluski, które uwielbiał mąż Marysi, zanosiłam im na górę, a po tygodniu, gdy Jacek dostał skądś piękną wołowinę, Marysia robiła wielką michę tatara i zanosiła Basi i nam. Basia często przychodziła do mnie i mówiła: „Ja ci pozmywam, a ty dolej wody do zupy, bo dla mnie i Tomka (syn) nie chce się pitrasić". I ja ich gościłam obiadem, a Basia mi za to sprzątała kuchnię. Piękne czasy!

Przypominam sobie, jak kiedyś kupiłam worek wielgaśnych ziemniaków. W kuchni stał ze mną nasz sąsiad Maciek i tarł je na tarce, ja w wielkiej misce rozrabiałam ciasto z jajkami pożyczonymi od pani Reni czy Basi i smażyłam na trzech patelniach (jedna pożyczona) placki. Były dla nas (tata właśnie wrócił z pracy i zasiadł do obierania), dla Basi i jej syna, dla Tadeusza z parteru, dla Jacka, Bartka i Marysi z góry, i tego sąsiada Maćka. A żonie Maćka, która nie chciała wejść na górę, bo woziła w wózku córeczkę, zrzuciliśmy placki w torebce foliowej. Danka śmiała się i, trząchając wózkiem, jadła placki, a my gawędziliśmy z nią przez otwarte okno balkonowe. Świetne to było! A jak się wspomina!

Biedę, niedostatek znaczny, wyniosłam z Szafranek. Tam było „bidnie, ale solidnie". Przez całe lato nie jadło się wędlin, mięsa bo raz, że sklep był daleko, dwa, że drogie, trzy, że nie było lodówki. Mięso konserwowane w smalcu od świniobicia na Wielkanoc dostawali tylko mężczyźni pracujący w polu przy sianiu czy żniwach. Reszta z nami letnikami włącznie żywiła się ziemniakami, kluskami, twarogiem, rybami, warzywami, mlekiem, śmietaną, masłem, dżemami i jajkami.

Kiepsko?! A kostiumy kąpielowe szyła nam pani Adela ze starych kiecek. I były ładne!

Z tamtych czasów przypominam sobie też wymysł mojej mamy – giełdę rzeczy używanych zorganizowaną w ogródku jordanowskim koło kościoła. Pamiętasz? Mama stwierdziła, że tu ludzie będą mogli pozbyć się swoich „przydasiów", ale głównie chodziło o matki i dzieci. Ciuszki dziecięce nie niszczą się aż tak, więc gdzieś można by było je wymieniać! Tak nauczyłam się (i Ciebie też) korzystać z second handu! Wiele niedziel spędzaliśmy właśnie tam. Wszelkie ubranka tu się kupowało! A może pamiętasz takie Twoje dziewczyńskie marzenie – bajeczna sukienka do ziemi (!) na ślub wujka Andrzeja? Śliczna, „hamerykańska", à la dyrektoriat, staniczek z wiśniowego (moim zdaniem to była fuksja!) aksamitu, dół z kilku warstw różowego tiulu… A na łączeniu różyczka.

Już chyba nigdy potem nie nosiłaś niczego różowego! I tam się kupowało z drugiej ręki sanki, buty zimowe, kurtki i… wszystko! W sklepach było mało, a ciuszki dla Was były brzydkie. Bajeczny zimowy kombinezon dla Stasia uszyła mi koleżanka. A druga wyjątkowy fartuszek szkolny z kieszeniami i innymi bajerami, który Staś nosił, aż totalnie wyrósł.

Dzisiaj nadal korzystam ze szmatlandów! To taki rodzaj hazardu, loterii, wielkiej niewiadomej – nie wiesz, z czym wyjdziesz. Z kurteczką dla Stasia? Bluzeczkami dla Ciebie? Kiedyś dosłownie za grosze znalazłam długi do ziemi, piękny, wiśniowy, skórzany płaszcz z kapturem! To była gratka! I do dzisiaj mi to zostało, a doszły promocje i przeceny, outlety… Ostatnio kupiliśmy poczwórnie przecenione koszule dla Siwego, których on oczywiście „wcale nie potrzebuje, bo stare są jeszcze świetne". Zupełnie jak Twój Duży!

Był czas, kiedy mi było bardzo ciężko, ale dałam radę, bo zawsze byłam oszczędna, tak jak moi rodzice i teściowie. I jakoś nie poszło mi w torebki od Prady ani buty Blahnika. Przypomniała mi się nasza znana celebrytka chwaląca się kiecką od Louboutina i torebką Chanel, że „trzeba na to kilka koncertów dać" (!). Ja pod tym wyznaniem wrzuciłam komentarz „... i tak jest biedna". Jakby do tego właśnie Szymon Kobyliński wiele lat temu stworzył rysunek: kino, na ekranie w planie dalszym willa, samochód, a na bliższym twarz człowieka ukryta w dłoniach w geście rozpaczy. Dwie oglądające film panny rozmawiają, jedna z nich mówi (przytaczam z pamięci): „To mając dom, samochód i tłuste konto w banku można jeszcze czegoś chcieć?!".

Myślę, Córeńko, że Twój kolega z pięcioma stówami w kieszeni mógłby spokojnie pozazdrościć Ci Twoich wypadów pod Halę z babcią Jasią, a mi stania nad Biebrzą z moim ojcem na rybach, podczas gdy moi znajomi serwowali sobie wypoczynek w drogich domach wczasowych w Jugosławii. Może fajnie byłoby tam pojechać, ale byliśmy biedni w kasę, za to bogaci w siebie nawzajem. Mama, zamiast kupować w Cepelii obrusy, sama je mereżkowała i wyszywała, a ja robiłam sobie bajeczne swetry na drutach. A pamiętasz warzywka z modeliny zamiast podobnych przywożonych z Berlina? To jest bogactwo!

I wiesz... tak jak Ty (chyba to ja Cię nauczyłam mówić do pieniążka) ZAWSZE pochylam się po leżący grosik, podnoszę i szepczę: „Pieniążku, chodź do mnie!". To takie zaklęcie. I jak u Ciebie – zawsze, gdy zbraknie, pojawia się ktoś, coś... Mój znajomy oponiarz (pamiętasz pana Bogdana?) mawiał: „Jak się pieniądz szanuje, to i on chętniej przychodzi".

Czyli to właściwie nie bieda, a niedostatek, który uczy pokory, oszczędności i rozsądku. No co, skoro mam śliczne i niezniszczone pantofelki sprzed lat, to po licho mi nowe? Po licho nowa torebka, skoro ta skórzana doskonale się nosi już czwarty sezon, a po odnowieniu za trzydzieści sześć złotych wygląda jak nowa? Plecak z Mediolanu (pamiętasz?) też wygląda rewelacyjnie, a tę granatową torebkę mam z... lumpeksu! Za ćwierć ceny, a była jeszcze z metką!

Biżuterii nie noszę, nie potrzebuję. Czasem jakieś kolczyki ze straganu, bo ładne rękodziełko. I tyle. Kończę, bo pora obiadowa.

Dzisiaj zrobię bieda potrawę – racuchy z jabłek leżących pod jabłonką, z cynamonem i cukrem, a z wczoraj został mi rosół z miejscowej kury, więc za babcią Jasią zrobiłam już zupę cytrynową z ryżem.

Uściski, Moja oszczędna i mądra!

Mama

Epilogu nie będzie

Basia nadal w Sydney, ja w Polsce. Na razie. Nadal rozmawiamy mailami, raz są krótkie, „techniczne", raz bardziej epickie, czasem z problemem, czasem tylko z opowieścią kreślącą i kolorującą słowami rzeczywistość. Wiem, nie ma tu naszych realnych problemów nader osobistych, bo jesteśmy powściągliwe i wiemy, czujemy granicę, kiedy coś jest na sprzedaż, a kiedy nie, więc tu ich nie ma.

Ludzie kochają zaglądać innym przez okno do życia, chcą zerknąć w każdy kąt. Bywa, że z lubością obserwują cudze dramaty, komentując je i osądzając, jakby mieli do tego prawo. Otóż obie uważamy, że każdy człowiek, nawet (zwłaszcza) bardzo

„publiczny", ma prawo do swoich tajemnic, do intymności.

I niech tak zostanie.

Basia i Małgorzata

NAJLEPSZE POLSKIE PISARKI POD JEDNYM ADRESEM!

Cicha 5

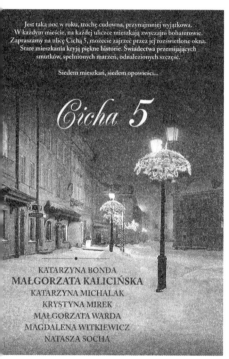

KATARZYNA BONDA
MAŁGORZATA KALICIŃSKA
KATARZYNA MICHALAK
KRYSTYNA MIREK
NATASZA SOCHA
MAŁGORZATA WARDA
MAGDALENA WITKIEWICZ

Zapraszamy na ulicę Cichą 5,
zajrzyjcie w jej rozświetlone okna.
Stare mieszkania kryją piękne historie.

Siedem mieszkań, siedem opowieści.

wydawnictwofilia.pl

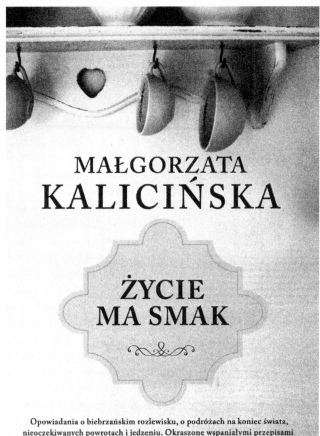

MAŁGORZATA KALICIŃSKA

ŻYCIE MA SMAK

Opowiadania o biebrzańskim rozlewisku, o podróżach na koniec świata, nieoczekiwanych powrotach i jedzeniu. Okraszone wspaniałymi przepisami na pachnące koperkiem chłodniki, aromatyczne zupy i buliony.

Opowieści o życiu, o tym, jak ważne są wspomnienia
i jak pouczające bywają podróże. Adela nad biebrzańskim
rozlewiskiem, tajemniczy mężczyzna na ławce
w Parku Skaryszewskim, zupa pomidorowa przygotowywana
na werandzie, spotkanie dwojga samotnych ludzi,
których połączyła nieuchwytna więź,
dom nad potokiem, do którego wraca syn…

wydawnictwofilia.pl